D0229210

# Code Nederlands

## Basisleergang Nederlands voor volwassen anderstaligen

# Code Nederlands

## Basisleergang Nederlands voor volwassen anderstaligen


| *uitgave* | *ISBN* |
|---|---|
| tekstboek 1 | 90 280 1224 9 |
| oefenboek 1 | 90 280 2488 3 |
| docentenhandleiding 1, incl. 2 cd's | 90 280 3371 8 |
| set à 2 cursistencassettes 1 | 90 280 4185 0 |
| combinatie tekstboek en cursistencassettes 1 | 90 280 5702 1 |
| tekstboek 2 | 90 280 1123 4 |
| oefenboek 2 | 90 280 2457 3 |
| docentenhandleiding 2, incl. 3 cd's | 90 280 3494 3 |
| set à 2 cursistencassettes 2 | 90 280 4324 1 |
| combinatie tekstboek en cursistencassette 2 | 90 280 5976 8 |
| software bij Code Nederlands 1 | 90 280 1487 X |
| software bij Code Nederlands 2 | 90 280 1548 5 |
| software bij Code Nederlands 1 en 2 | 90 280 3324 6 |
| uitspraakcassette (niet herzien) | 90 280 4489 2 |

*Redactie*
Rita Meijer, Amsterdam (coördinatie)
Toos de Zeeuw, Octopus Tekstproduktie, Bussum (bureauredactie)
*Vormgeving*
Rosemarie van Boxel, Haarlem (ontwerp en coördinatie)
Mark Hasson, Amsterdam (opmaak)
*Beeldredactie*
Eline Overkleeft, Amsterdam

ISBN 90 280 1224 9
Tweede druk
00 99 98 97
9 8 7 6 5 4 3

# Code Nederlands

## Basisleergang Nederlands voor volwassen anderstaligen

## Tekstboek 1

Alice van Kalsbeek
Folkert Kuiken

Revisie:
Erna van Bekhoven
Marijke Huizinga
Alice van Kalsbeek
Janneke van der Poel

Afdeling Nederlands Tweede Taal, Vrije Universiteit Amsterdam

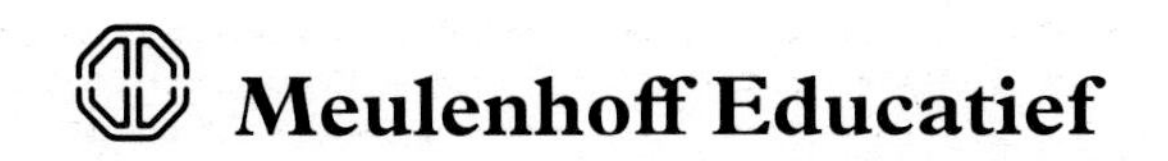

# Inhoud

# 1 Hoe heet u?

# A 1 Op een feestje

- Jos de Beer.
- Arthur Prins.

- Hoe heet je?
- Linda. En jij?
- Harry.

- Dag, ik ben Anke de Graaf.
- Dag, Rob Jansen.

- Mag ik me even voorstellen?
  Mijn naam is Witteman.

- Prettig met u kennis te maken.
  Ik ben mevrouw Andersen.

- Veldman.
- Van Zetten.

- Bent u mevrouw Overmeer?
- Ja.

- Ben jij Mariska?
- Nee, Karin.

| | | |
|---|---|---|
| op | en | de naam |
| een | dag | prettig met u kennis te maken |
| het feest | zijn | de mevrouw |
| hoe | mag ik me even voorstellen? | |
| heten | mijn | |

## Zich voorstellen

**Ik ben ...**
- Dag, ik ben Anke de Graaf.
- Dag, Rob Jansen.

**Mijn naam is ...**
- Mijn naam is Witteman.
- Ik ben mevrouw Andersen.

**... [naam]**
- Jos de Beer.
- Arthur Prins.

- Veldman.
- Van Zetten.

## Ja zeggen / nee zeggen

### Het persoonlijk voornaamwoord (1): ik, u, je

| | | |
|---|---|---|
| 1 | **ik** | – Dag, ik ben Anke de Graaf.<br>– Dag, Rob Willems. |
| 2 | *formeel:* **u** | – Bent u mevrouw Overmeer?<br>– Ja. |
| | *informeel:* **je** | – Hoe heet je?<br>– Linda. |
| | *informeel, accent:* **jij** | – Ben jij Mariska?<br>– Nee, Karin. |

## B 2 In een bar

*Hendrik-Jan* Hoe heet je?
*Anouschka* Anouschka.
*Hendrik-Jan* Hoe heet je?
*Anouschka* Anouschka.
*Hendrik-Jan* Anouschka? Hoe spel je dat?
*Anouschka* A, N, O, U, S, C, H, K, A.
*Hendrik-Jan* O ja.

| | |
|---|---|
| in | spellen |
| de bar | o ja |

## B 3 Aan het loket

| | |
|---|---|
| *mevrouw de Jong* | Wat is uw naam? |
| *Mark Fischer* | Fischer. |
| *mevrouw de Jong* | Visser? |
| *Mark Fischer* | Nee, Fischer. |
| *mevrouw de Jong* | Kunt u het spellen? |
| *Mark Fischer* | Ja. F, I, S, C, H, E, R. |
| *mevrouw de Jong* | F, I, S, C, H, E, R? |
| *Mark Fischer* | Ja. |

aan
het loket
wat
uw
kunnen

B 4

## Het alfabet

| | | | | | | |
|---|---|---|---|---|---|---|
| A a | E e | I i | M m | Q q | U u | Y y |
| B b | F f | J j | N n | R r | V v | Z z |
| C c | G g | K k | O o | S s | W w | |
| D d | H h | L l | P p | T t | X x | |

### Spellen

**Hoe spel je dat?**
– Hoe spel je dat?
– A, N, O, U, S, C, H, K, A.

**Kunt u het spellen?**
– Kunt u het spellen?
– Ja. F, I, S, C, H, E, R.

### Vragen naar een naam

**Hoe heet je?**
– Hoe heet je?
– Anouschka.

– Hoe heet u?
– Van Zetten.

**Wat is uw naam?**
– Wat is uw naam?
– Fischer.

– Wat is je naam?
– Arthur.

C 5

## In een café

*Marjolijn* Waar woon je?
*Willem* In Utrecht.
*Marjolijn* Waar in Utrecht?
*Willem* In de Fabriekstraat.
En jij?
*Marjolijn* Ik woon in Lelystad.
In de Brugstraat.

| | |
|---|---|
| het café | wonen |
| waar | de straat |

## C 6 Op een receptie

| | |
|---|---|
| *Ruud Geerts* | Woont u in Brussel? |
| *Magda de Smet* | Ja. |
| *Ruud Geerts* | Waar? |
| *Magda de Smet* | In de Wetstraat. |
| *Ruud Geerts* | Ah ja, ik ook. Op welk nummer woont u? |
| *Magda de Smet* | Op drieëntwintig. En u? |
| *Ruud Geerts* | Ik woon op achtendertig. |

de receptie
ah ja
ook
welk
het nummer

## C 7 Op de Nederlandse les

| | |
|---|---|
| *Pamela* | Waar kom je vandaan? |
| *Aicha* | Uit Marokko.<br>En jij? |
| *Pamela* | Ik kom uit Engeland.<br>Kom jij ook uit Marokko? |

*Joao* Nee, uit Brazilië.
*Pamela* En uit welk land kom jij?
*Jamila* Ik kom uit India.

| | |
|---|---|
| de les | komen |
| Nederlands | uit |
| waar (...) vandaan | het land |

## Vragen naar een adres en reactie

**Waar woon je?**
- Waar woon je?
- In Utrecht.

**Woont u in ...?**
- Woont u in Brussel?
- Ja.

**Op welk nummer woon je?**
- Op welk nummer woon je?
- Op 23.

*reactie*

**Ik woon in ...**
- Waar woont u?
- Ik woon in de Wetstraat.

**In/Op ...**
- En op welk nummer woont u?
- Op 38.

## Vragen naar herkomst en reactie

| | |
|---|---|
| **Waar kom je vandaan?** | – Waar kom je vandaan?<br>– Uit India. |
| **Uit welk land komt u?** | – Uit welk land komt u?<br>– Uit Marokko. |
| **Kom je (...) uit ...?** | – Kom je ook uit India?<br>– Ja. |
| *reactie* | |
| **Ik kom uit ...** | – En jij?<br>– Ik kom uit Engeland. |
| **Uit ...** | – Waar kom je vandaan?<br>– Uit India. |

## Telwoorden (1)

| | | | | | | | |
|---|---|---|---|---|---|---|---|
| **0** | nul | **10** | tien | **20** | twintig | **30** | **der**tig |
| **1** | een | **11** | elf | **21** | eenentwintig | **40** | **veer**tig |
| **2** | twee | **12** | twaalf | **22** | tweeëntwintig | **50** | vijftig |
| **3** | drie | **13** | dertien | **23** | drieëntwintig | **60** | zestig |
| **4** | vier | **14** | veertien | **24** | vierentwintig | **70** | zeventig |
| **5** | vijf | **15** | vijftien | **25** | vijfentwintig | **80** | **t**achtig |
| **6** | zes | **16** | zestien | **26** | zesentwintig | **90** | negentig |
| **7** | zeven | **17** | zeventien | **27** | zevenentwintig | | |
| **8** | acht | **18** | achttien | **28** | achtentwintig | **100** | honderd |
| **9** | negen | **19** | negentien | **29** | negenentwintig | | |
| | | | | | | **200** | tweehonderd |

| | |
|---|---|
| **348** | driehonderd achtenveertig |
| **1000** | duizend |
| **1136** | elfhonderd zesendertig |
| **1 000 000** | een miljoen |

## Woordvolgorde (1)

### 1 Het onderwerp vóór de persoonsvorm

| *Onderwerp* | *Persoonsvorm* | |
|---|---|---|
| Ik | ben | Anke de Graaf. |
| Je | woont | in Lelystad. |
| U | komt | uit Engeland? |
| Marjolijn | woont | in de Brugstraat. |
| Mijn naam | is | Witteman. |

### 2 Het onderwerp ná de persoonsvorm

| | *Persoonsvorm* | *Onderwerp* | |
|---|---|---|---|
| Hoe | heet | je? | |
| Uit welk land | kom | jij? | |
| Hoe | spel | je | dat? |
| Waar | kom | je | vandaan? |
| | Bent | u | mevrouw Overmeer? |
| | Kom | jij | ook uit Marokko? |
| | Kunt | u | het spellen? |
| | Mag | ik | me even voorstellen? |

## C 8 Naam en adres

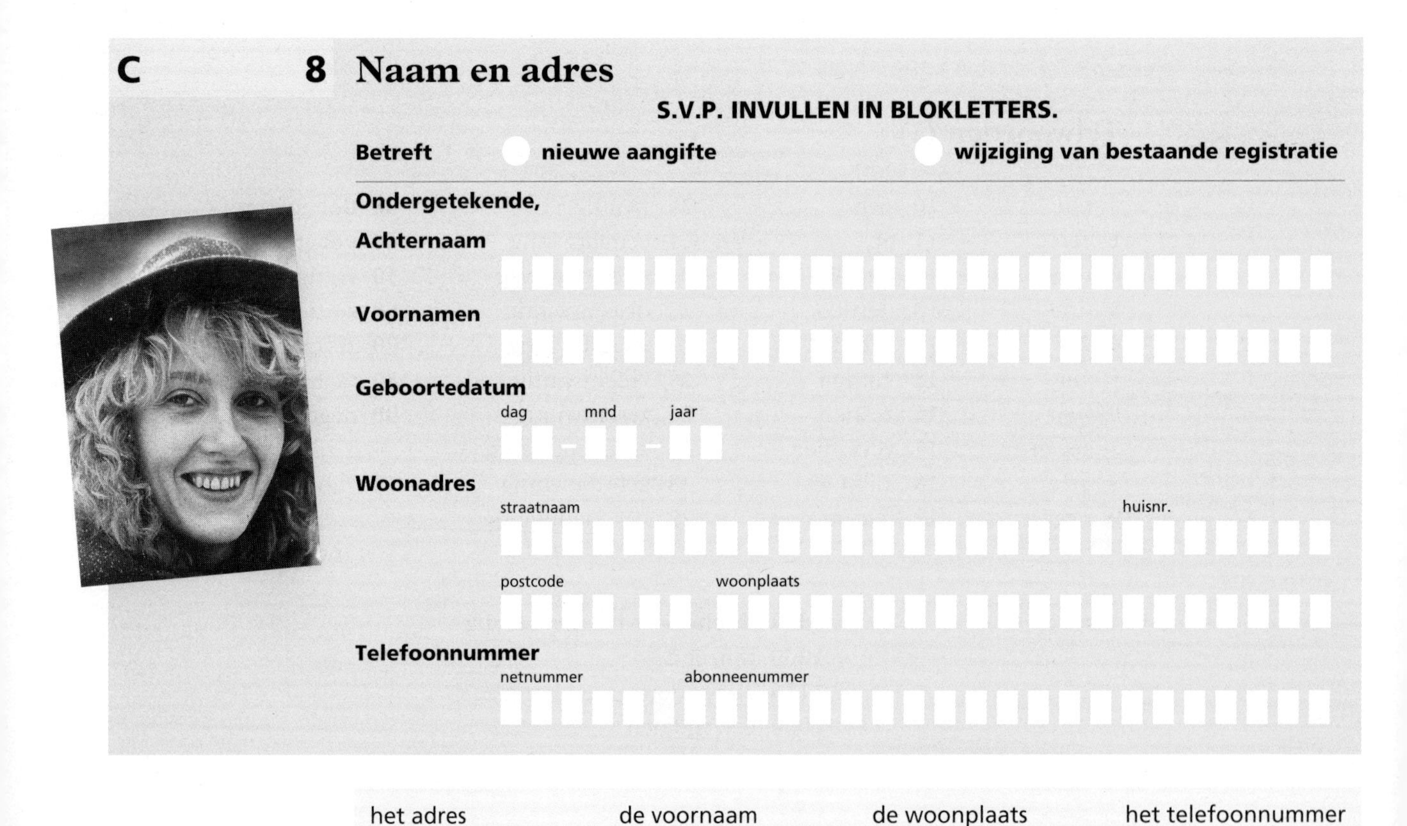

**S.V.P. INVULLEN IN BLOKLETTERS.**

**Betreft** ○ **nieuwe aangifte** ○ **wijziging van bestaande registratie**

**Ondergetekende,**

**Achternaam**

**Voornamen**

**Geboortedatum**
dag mnd jaar

**Woonadres**
straatnaam huisnr.

postcode woonplaats

**Telefoonnummer**
netnummer abonneenummer

| | | | |
|---|---|---|---|
| het adres | de voornaam | de woonplaats | het telefoonnummer |
| de achternaam | de postcode | de geboortedatum | |

## D 9 Monique, Richard, Ramón en Angela

Ik ben Monique Mertens.
Ik kom uit Gent,
maar woon in Amsterdam.
Ik werk in een café.

En dit is Ramón López, een buurman.
Hij komt uit Spanje,
maar woont in Amsterdam.
Hij is student.

Dit is Richard van den Berg, een vriend.
Hij woont in Purmerend.
Hij is kapper,
maar hij is werkloos.

En zij? Dat is Angela de Coo.
Angela is mijn beste vriendin.
Ze komt ook uit België.
Ze woont nog in Gent.

| | |
|---|---|
| maar | de buurman |
| werken | de student |
| de vriend | best (<goed) |
| de kapper | de vriendin |
| werkloos | nog |

### Identificeren

**Dit is ...** Dit is Richard van den Berg, een vriend.
**Dat is ...** Dit is Ramón López, dat is Angela.

### Het persoonlijk voornaamwoord (2): hij, ze

| | | |
|---|---|---|
| 3 | *man:* **hij** | Dit is Richard, een vriend. Hij is werkloos. |
| | *vrouw:* **ze** | Angela is mijn vriendin. Ze komt uit België. |
| | *vrouw, accent:* **zij** | Hij is student. En zij? Zij werkt. |

## Het werkwoord (1): enkelvoud

| | | *werken* | |
|---|---|---|---|
| **1** | Ik | **werk** | – Ik werk in een café. |
| **2** | U | **werkt** | – In welk café werk je? |
| | Je/jij | **werkt** | |
| | | **werk** je | |
| **3** | Hij | **werkt** | – Waar werkt hij? |
| | Ze/zij | **werkt** | – Hij werkt in Amsterdam. |

| | | *wonen* | |
|---|---|---|---|
| **1** | Ik | **woon** | – Woon je in Purmerend? |
| **2** | U | **woont** | – Ja. Waar woon jij? |
| | Je/Jij | **woont** | |
| | | **woon** je | |
| **3** | Hij | **woont** | – Ruud woont in Brussel. |
| | Ze/Zij | **woont** | – O, Magda woont ook in Brussel. |

| | | *heten* | |
|---|---|---|---|
| **1** | Ik | **heet** | – Ik heet Rob. |
| **2** | U | **heet** | – Jos. |
| | Je/Jij | **heet** | |
| | | **heet** je | |
| **3** | Hij | **heet** | – Hoe heet zij? |
| | Ze/Zij | **heet** | – Anna. |

| | | *zijn* | |
|---|---|---|---|
| **1** | Ik | **ben** | – U bent mevrouw Overmeer? |
| **2** | U | **bent** | – Nee, ik ben mevrouw Andersen. |
| | Je/Jij | **bent** | |
| | | **ben** je | – Ben je kapper? |
| **3** | Hij | **is** | – Ja, maar ik ben werkloos. |
| | Ze/Zij | **is** | |

## D 10 Adressen

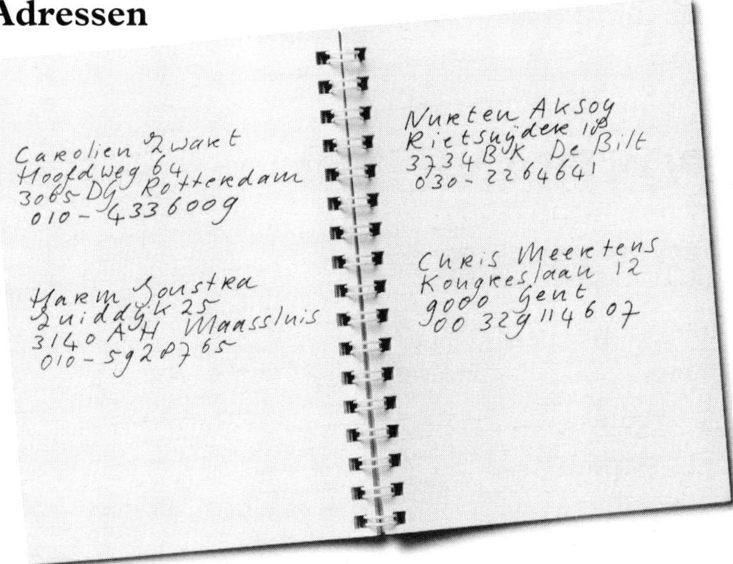


## D 11 Woorden leren

Schrijf de woorden in uw schrift
of maak kaartjes.

land
het land, landen
ülke, memleket
Uit welk land kom jij?
Turkije is een land.

woon
wonen, woonde, heeft gewoond
habiter
Waar woon je?
In Utrecht.
Op welk nummer woont u?
Op 23.
Ik woon
U woont
Je/jij woont
Woon je ook in Amsterdam?
Hij woont
Ze/zij woont

woon wonen
Waar woon je? In Utrecht
Op welk nummer woont u? Op 23.
Ik woon. U woont.
Je/jij woont - Woon je ook in Amsterdam?
Hij woont.
Ze/zij woont.

| | |
|---|---|
| het woord | het schrift |
| leren | de kaart |
| schrijven | |

## E 12 Een formulier

POSTBANK

Aanvraag Postbank Support Service

**Gegevens aanvrager**

| | |
|---|---|
| Girorekening | 4004756 |
| Naam | de Groot |
| Voorletters | R. ☐ Dhr ☒ Mw |
| Geboortedatum | 11/3/'63 |
| Adres | Borkdineweg 86 |
| Postcode en plaats | 8931 AT Leeuwarden |
| Telefoon overdag | 058-2882467 |
| Telefoon 's avonds | 058-2676566 |

**Soort abonnement**

| | | |
|---|---|---|
| Individueel abonnement | ☒ Voor één jaar f 21,- (TC 01 LC 01) | ☐ Voor drie jaren f 57,- (TC 01 LC 03) |
| Gezinsabonnement (maximaal 4 personen) | ☐ Voor één jaar f 25,- (TC 00 LC 01) | ☐ Voor drie jaren f 67,- (TC 00 LC 03) |

**Ondertekening**

Ik machtig de Postbank tot het afschrijven van het abonnementsbedrag van mijn girorekening circa drie weken nadat de Postbank dit aanvraagformulier heeft ontvangen. Ik ontvang de handleiding, een vel met stickers en het registratieformulier waarmee passen, cards en andere belangrijke documenten geregistreerd kunnen worden. Bij een driejarig abonnement ontvang ik bovendien één sleutelhanger. Ik stuur het registratieformulier ingevuld terug en lees alle voorwaarden in de handleiding.

Datum: 29/8/'96

Handtekening aanvrager: [handtekening]

Stuur dit formulier volledig ingevuld in een envelop zonder postzegel naar **Postbank Support Service, Antwoordnummer 30015, 3500 RC Utrecht.**

# 2 Hoe gaat het ermee?

## A 1 In het park

| | |
|---|---|
| *Meneer Klein* | Goedemorgen, mevrouw Van Dale.<br>Hoe gaat het met u? |
| *Mevrouw Van Dale* | Dag meneer Klein. Goed, en met u? |
| *Meneer Klein* | Uitstekend, dank u. |

| | |
|---|---|
| het park | goed |
| de meneer | uitstekend |
| gaan | danken |

## A 2 Op het werk

| | |
|---|---|
| *Meneer Vandenputte* | Goedemiddag, mevrouw Vandijke. |
| *Mevrouw Vandijke* | Goedemiddag, meneer Vandenputte. |
| *Meneer Vandenputte* | Hoe maakt u het? |
| *Mevrouw Vandijke* | Goed, dank u. En u? |
| *Meneer Vandenputte* | Uitstekend, dank u. |

| | |
|---|---|
| het werk | hoe maakt u het? |

## A 3 Op straat

| | |
|---|---|
| *Meneer Potter* | Dag Edwin. |
| *Edwin* | Dag meneer Potter. Hoe gaat het met u? |
| *Meneer Potter* | Goed, en met jou? |
| *Edwin* | Ook goed, dank u. |

| |
|---|
| jou |

## A 4 Op school

*Paul* Hallo John.
Hoe gaat het ermee?
*John* O, lekker Paul.
Hoe is het met jou?
*Paul* Nou, het gaat wel.

| | |
|---|---|
| de school | nou |
| lekker | wel |

### Groeten

| | |
|---|---|
| **Goedemorgen** | – Goedemorgen, Mariska. |
| **Goedemiddag** | – Dag Bart. |
| **Goedenavond** | – Goedenavond, mevrouw Vandijke.<br>– Goedenavond, meneer Vandenputte. |
| **Dag** | – Dag Edwin.<br>– Dag meneer Potter. |
| **Hallo**<br>*(informeel)* | – Hallo John.<br>– Dag Paul. |

### Vragen hoe het met iemand gaat en reactie

| | |
|---|---|
| **Hoe is/gaat het met u?** | – Hoe gaat het met u, mevrouw Van Dale?<br>– Goed, en met jou, Bart? |
| **Hoe is/gaat het ermee?** | – Dag Edwin, hoe is het ermee?<br>– O, het gaat wel. |

*reactie*

| | |
|---|---|
| **Goed/... (hoor).**<br>**..., dank je.**<br>**..., en met u?** | – Hoi Paul, hoe is het met jou?<br>– Goed hoor. |
| **Het gaat wel.** | – Hallo, hoe gaat het met je?<br>– Uitstekend, dank je. |

## B 5 In de stad

| | |
|---|---|
| *Hassan* | Ik heb trek in een broodje. |
| *Mirjam* | Ik ook. |
| *Hassan* | Zullen we even een broodje kopen? |
| *Mirjam* | Ja, goed. |

| | |
|---|---|
| de stad | zullen |
| trek hebben in | we |
| het broodje | kopen |

## B 6 Op de markt

| | |
|---|---|
| *Wilma* | Zullen we ergens koffie drinken? |
| *Ellen* | Goed, maar waar? |
| *Wilma* | Laten we naar café Bos gaan. |
| *Ellen* | Okee. |

| | |
|---|---|
| de markt | drinken |
| ergens | laten |
| de koffie | naar |

B 7
## In de kantine

*David* Ga je mee naar de film?
*Paula* Ja, graag. Wanneer?
*David* Zaterdag.
*Paula* Okee.
*David* Zal ik dan de kaartjes bestellen?
*Paula* Graag.

| | |
|---|---|
| de kantine | wanneer |
| meegaan | bestellen |
| de film | |

B 8
## Bij Wendy

*Oscar* Ik ben morgen jarig.
Heb je zin om te komen?
*Wendy* Ja, leuk. Wanneer? 's Morgens, 's middags, 's avonds?
*Oscar* 's Avonds.
*Wendy* Nodig je veel mensen uit?
*Oscar* Ja, heel veel.
*Wendy* Tot morgenavond dan.
*Oscar* Tot ziens.

| | |
|---|---|
| bij | veel |
| morgen | de mens |
| jarig | heel |
| zin hebben (om … te …) | morgenavond |
| uitnodigen | dan |

### Vragen iets samen te doen

**Zullen we …?**
– Zullen we even een broodje kopen?
– Ja, goed.

**Hebt u zin om …?**
– Hebt u zin om te komen?
– Ja, leuk.

**Ga je … mee …?**
– Ga je mee naar de film?
– Wanneer?

## Positief reageren (1)

**(Ja,) goed.**
– Zullen we ergens koffie drinken?
– Goed, maar waar?

**(Ja,) graag.**
– Gaat u mee naar de receptie?
– Ja, graag.

**(Ja,) leuk.**
– Heb je zin om te komen?
– Ja, leuk.

**Okee.**
– Laten we naar café Bos gaan.
– Okee.

## Afscheid nemen

**Tot ziens.**
**Tot morgen/vanavond/volgende week, ...**
**Dag.**

– Tot morgenavond dan.
– Tot ziens.

## De dag, de nacht, ...

| | | | |
|---|---|---|---|
| **06.00 uur - 18.00 uur** | de dag | vandaag | overdag |
| **09.00 uur - 12.00 uur** | de morgen<br>de ochtend | vanmorgen/<br>vanochtend | 's morgens/<br>'s ochtends |
| **12.00 uur - 18.00 uur** | de middag | vanmiddag | 's middags |
| **18.00 uur - 24.00 uur** | de avond | vanavond | 's avonds |
| **24.00 uur - 06.00 uur** | de nacht | vannacht | 's nachts |

## Werkwoorden (1): gaan, hebben, zullen

|  |  | *gaan* |  |
|---|---|---|---|
| 1 | Ik | **ga** | – Ik ga naar de film. |
| 2 | U | **gaat** | – Ja, tot vanavond. |
|  | Je | **gaat** |  |
|  |  | **ga** je | – Gaat Oscar niet mee? |
| 3 | Hij | **gaat** | – Nee, hij gaat naar Wendy. |
|  | Ze | **gaat** |  |
| 1 | We | **gaan** |  |

|  |  | *hebben* |  |
|---|---|---|---|
| 1 | Ik | **heb** | – Heb je trek in koffie? |
| 2 | U | **hebt/heeft** | – Ja! |
|  | Je | **hebt** |  |
|  |  | **heb** je | – We hebben de kaartjes, hè? |
| 3 | Hij | **heeft** | – Eh, ja, ik heb de kaartjes. |
|  | Ze | **heeft** |  |
| 1 | We | **hebben** |  |

|  |  | *zullen* |  |
|---|---|---|---|
| 1 | Ik | **zal** | – Ik zal broodjes bestellen. |
| 2 | U | **zal/zult** | – Graag. |
|  | Je | **zal/zult** |  |
|  |  | **zal/zul** je | – Zullen we Ramón ook uitnodigen? |
| 3 | Hij | **zal** | – Ja, leuk. |
|  | Ze | **zal** |  |
| 1 | We | **zullen** |  |

## C 9 Bij Stephan en Lucy

*Stephan* Wat zullen we in het weekend doen?
*Lucy* Ik weet het niet.
*Stephan* Zullen we naar Groningen gaan?
*Lucy* Nee, laten we maar thuisblijven.

| | |
|---|---|
| het weekend | niet |
| doen | thuisblijven |
| weten | |

## C 10 Bij Hélène en Jacques

*Hélène* Zullen we vanavond uitgaan?
*Jacques* Nou, misschien.
*Hélène* Naar een concert?
*Jacques* Ik heb geen zin om naar een concert te gaan.
*Hélène* Wat wil je dan?
*Jacques* Laten we naar Lucy en Stephan gaan.
*Hélène* Goed.

| | |
|---|---|
| uitgaan | geen |
| het concert | willen |

## C 11 Bij Maria

*Maria* Erik, zullen we vanmiddag naar de markt gaan?
*Erik* Nee, ik kan vanmiddag niet.
*Maria* En morgenochtend?
*Erik* Nee, dan kan ik ook niet.
*Maria* Volgende week misschien?
*Erik* Ja, misschien.
Ik zie wel.

| | |
|---|---|
| morgenochtend | de week |
| volgend | zien |

### Negatief reageren (1)

**(Nee,) ik kan … niet.**
– Zullen we vanmiddag naar de markt gaan?
– Nee, ik kan vanmiddag niet.

**(Nee,) ik heb geen zin (om) …**
– Zullen we vanavond naar een concert gaan?
– Ik heb geen zin om naar een concert te gaan.

## Iets nog niet weten

**Ik weet het niet.** – Wat zullen we vanavond doen?
– Ik weet het niet.

**Misschien.**
**Ik zie wel.**
– Ga je morgen ook naar Maria?
– Misschien. Ik zie wel.

### Lidwoorden: de, het, een

| | *bepaald* | *onbepaald* |
|---|---|---|
| **de - woorden** | | |
| enkelvoud | de nacht | een nacht |
| meervoud | de nachten | nachten |
| **het - woorden** | | |
| enkelvoud | het concert | een concert |
| meervoud | de concerten | concerten |

*Bepaald:*

**De** film van vanavond heet 'Blue velvet'.
**De** Albert Cuypmarkt is in Amsterdam.
Zullen we in **de** kantine even wat drinken?

Heb je zin om naar **het** Kralingse Bos te gaan?
**Het** weekend van 9 en 10 april ga ik naar Parijs.
Ga je mee naar **het** concert van Youssou N'Dour morgenavond?

*Onbepaald:*

Heb je trek in **een** broodje?
Zullen we even naar **een** café gaan?
Jacques heeft geen zin om naar **een** concert te gaan.

Zal ik kaartjes bestellen?
Wil je even broodjes kopen?
Ik heb zin in koffie, en jij?

**conform**

**con'centrisch (koncentrisch)** ⟨bijv. nw.⟩ *(van cirkels)* met hetzelfde middelpunt, in elkaar passend.
**con'cept (koncept)** ⟨het~; -en⟩ voorlopig ontwerp van iets dat je wilt maken ⇒ *plan, opzet.*
**con'ceptie (konceptie)** ⟨de~ (v.); -s⟩ bevruchting van een eicel door een zaadcel.
**con'cern** [kon'sùrn; Engels] ⟨het~; -s⟩ grote onderneming die uit verschillende bedrijven bestaat.
**con'cert (koncert)** ⟨het~; -en⟩ muziekuitvoering voor publiek • *ik ga vanavond naar een pop-concert.*
**concer'teren (koncerteren)** ⟨concerteerde, heeft geconcerteerd⟩ een concert* geven.
**con'cessie (koncessie)** ⟨de~ (v.); -s⟩ het voor een deel toegeven aan wat de ander van je wil ⇒ *tegemoetkoming*

## Ontkenning (1): niet

### Let op de plaats van niet

1 *Na het werkwoord*

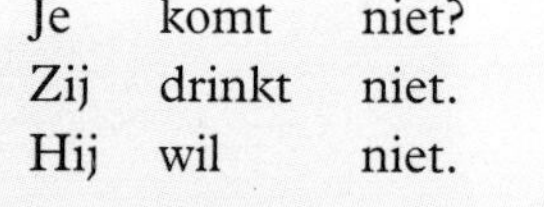

| | | |
|---|---|---|
| Ik | werk | niet. |
| Je | komt | niet? |
| Zij | drinkt | niet. |
| Hij | wil | niet. |

2 *Na: morgen, vandaag, volgende week,* enzovoort

| | | | |
|---|---|---|---|
| Hij | kan | volgende week | niet. |
| Maria | werkt | vandaag | niet? |
| Ik | kom | morgen | niet hoor. |
| Je | gaat | 4 april | niet mee? |

## Vraagwoorden

| | | |
|---|---|---|
| **hoe** | – Hoe heet je?<br>– Monique. | – Hoe gaat het?<br>– Goed. |
| **waar** | – Waar woon je?<br>– In Utrecht. | – Waar kom je vandaan?<br>– Uit Turkije. |
| **wat** | – Wat is je naam?<br>– René. | – Wat zullen we doen?<br>– Laten we naar de film gaan. |
| **wie** | – Wie is dat?<br>– Dat is Wim de Bie. | – Wie zijn dat?<br>– Malika, Dina en Ilana. |
| **wanneer** | – Wanneer ga je naar Parijs?<br>– Volgende week. | – Wanneer gaan we naar Oscar?<br>– Zaterdag. |
| **welk(e)** | – Welke dag is het vandaag?<br>– Donderdag. | – Op welk nummer woon je?<br>– Op nummer 186. |

## D 12 Dagen, maanden, seizoenen

**dagen** maandag, dinsdag, woensdag, donderdag, vrijdag, zaterdag, zondag

**maanden** januari, februari, maart, april, mei, juni, juli, augustus, september, oktober, november, december

Er zijn vier **seizoenen** in Nederland:

de lente

de zomer

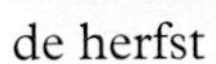

de herfst

de winter

de dag    de maand    het seizoen

## E 13 Uitgaan

Kathakdans door Nahid Siddiqui

Concert van Bon Jovi

Jiddische muziek door Di Gojim en The Klezmer Conservatory Band

Chinese Opera "Koning Aap zet het Godenrijk op stelten"

Toneelgroep Amsterdam met 'Klaagliederen'

Ingezonden mededeling

TONEELGROEP AMSTERDAM

*"Hij heeft mij in stukken gebroken"*

'JEREMIA'

KLAAGLIEDEREN

REGIE GERARDJAN RIJNDERS

za 12 t/m di 15 november try-outs,
wo 16 première, do 17 t/m zo 27 november
(beh. zo 20 en ma 21)

KAARTVERKOOP VIA AUB TICKETSHOP, AUB UITLIJN 020 6211211
EN KASSA STADSSCHOUWBURG AMSTERDAM 020 6242311

E 14

## Oote

Oote oote oote
Boe
Oote oote
Oote oote oote boe
Oe oe
Oe oe oote oote oote
A
A a a
Oote a a a
Oote oe oe
Oe oe oe
Oe oe oe oe oe
Oe oe oe oe oe
Oe oe oe oe oe oe oe
Oe oe oe etc.
Oote oote oote
Eh eh euh
Euh euh etc.
Oote oote oote boe
  etc.
  etc. etc.
Hoe boe hoe boe
Hoe boe hoe boe
B boe
Boe oe oe
Oe oe (etc.)
Oe oe oe oe
  etc.
Eh eh euh euh euh
Oo-eh oo-eh o-eh eh eh eh
Ah ach ah ach ach ah a a
Oh ohh ohh hh hhh (etc.)
Hhd d d
Hdd
D d d d da
D dda d dda da
D da d da d da d da d da da
da
Da da demband
Demband demband dembrand
dembrandt
Dembrandt Dembrandt Dembrandt
Doe d doe d doe dda doe
Da do do do da do do do
Do do da do deu d
Do do do deu deu doe deu deu
Deu deu deu da dd deu
Deu deu deu deu

Kneu kneu kneu kneu ote kneu eur
Kneu kneu ote kneu eur
Kneu ote ote ote ote ote
Ote ote oote
Ote ote
Boe
Oote oote oote boe
Oote oote boe oote oote oote boe

*Jan Hanlo*

Uit: *Domweg gelukkig in de Dapperstraat, de bekendste gedichten uit de Nederlandse literatuur.* Bijeengebracht en ingeleid door C.J.Aarts en M.C.van Etten. Amsterdam, Pockethouder 1994.

Oote oote oote boe
Klote regel zonder clou

*Gerrit Komrij*

Uit: R.Chamuleau en J.A.Dautzenberg,
*Ik ben geboren in Apeldoorn. Groot Parodieënboek.*
Nijgh & Van Ditmar, Amsterdam, 1994.

# 3 Ja, lekker!

## A 1 Thuis

*Joop* Wil je iets drinken?
*Mariska* Ja, lekker.
*Joop* Wil je koffie of thee?
*Mariska* Ik heb liever een kopje koffie.
*Joop* Met melk en suiker?
*Mariska* Alsjeblieft.

| | |
|---|---|
| thuis | liever (<graag) |
| iets | het kopje |
| of | de melk |
| de thee | de suiker |

## A 2 Op een terras

*ober* Meneer, mevrouw?
*Juan* Voor mij een tonic, graag.
*ober* Met ijs en citroen?
*Juan* Alstublieft.
*ober* En u?
*Lies* Hebt u appelsap?
*ober* Natuurlijk, mevrouw.
*Lies* Mag ik dan een appelsap van u?
*ober* Een tonic en een appelsap.

| | |
|---|---|
| het terras | het ijs |
| de ober | de citroen |
| voor | het appelsap |
| mij | natuurlijk |
| de tonic | |

## A 3 In een café

| | | |
|---|---|---|
| | *Carla* | Mogen we bestellen? |
| | *ober* | Ik kom zo bij u, mevrouw. |
| | *Carla* | Wat nemen jullie? |
| | *Tineke* | Een spa. |
| 5 | *Carla* | En jij? |
| | *Sjef* | Ik neem een broodje. Of nee, liever een tosti. |
| | *Carla* | Heb jij honger? |
| | *Sjef* | Ja, jij niet? |
| | *Carla* | Nee, ik heb dorst. Geef mij maar een pilsje. |
| 10 | *ober* | Zegt u het maar. |
| | *Carla* | Een spa, een tosti en een pils, alstublieft. |
| | *ober* | Tosti ham/kaas? |
| | *Sjef* | Alstublieft. |

ik kom zo bij u
nemen
de spa
het broodje
de tosti
de honger
de dorst
geven
de pils
zegt u het maar
zeggen
de ham
de kaas

### Vragen wat iemand wil

**Wil je (iets) ...?**
- Wil je iets drinken?
- Ja, lekker.

**Wat wilt u ...?**
- Wat wilt u, koffie of thee?
- Ik heb liever een kopje koffie.

**En u?**
- En u?
- Hebt u appelsap?

### Bestellen

**..., graag.**
- Meneer, mevrouw?
- Voor mij een tonic, graag.

**..., alstublieft.**
- Zegt u het maar.
- Een spa, een tosti en een pils, alstublieft.

**Mag ik ...?**
- Mevrouw?
- Mag ik een appelsap van u?

## Woordvolgorde (2)

**Let op de plaats van de infinitief**

| | *Persoonsvorm* | | | *Infinitief* |
|---|---|---|---|---|
| | Kunnen | we | | bestellen? |
| | Wil | je | iets | drinken? |
| Ik | zal | | wel kaartjes | bestellen. |
| We | willen | | graag iets | eten. |
| Wat | willen | jullie | | drinken? |
| Wanneer | zullen | we | naar de film | gaan? |

# B 4 In een restaurant

*Max* Goedenavond, kunnen we hier eten?
*ober* Hebt u gereserveerd?
*Max* Nee.
*ober* Dan moet u even wachten.
*Max* Wat doen we?
*Willy* Het maakt mij niet uit. Zeggen jullie het maar.
*Daan* Zullen we wachten?
*Olga* Ja, goed.
*ober* Gaat u dan maar even aan de bar zitten.

| | |
|---|---|
| het restaurant | moeten |
| hier | wachten |
| eten | zitten |
| reserveren | |

## B 5 Aan de bar

| | | |
|---|---|---|
| | *ober* | Wilt u misschien iets drinken? |
| | *Olga* | Zullen we een fles wijn nemen? |
| | *Willy* | Ja, lekker. |
| | *ober* | Rood of wit? |
| 5 | *Olga* | Eh, wit, graag. Max, wit, hè? |
| | *Max* | Ja, dat is goed. |
| | *Olga* | Ja, doet u maar wit. |
| | *Daan* | En mogen we ook de kaart? |
| | *ober* | Alstublieft, de wijn en de menukaart. |
| 10 | *Daan* | Dank u. |

| | | |
|---|---|---|
| de fles | rood | hè? |
| de wijn | wit | de menukaart |

### Voorkeur hebben (1)

**Ik … liever …**

– Wil je koffie of thee?
– Ik heb liever thee.

– Wilt u vlees of vis bij de dagschotel?
– Ik heb liever vis.

### Geen voorkeur hebben (1)

**Het maakt (…) niet uit.**

– Wat doen we?
– Het maakt mij niet uit.

– Zullen we vanavond naar de film gaan of morgen?
– O, dat maakt me niet uit.

### Zeggen wat je wilt hebben

**Doet u maar …**

– Rood of wit?
– Doet u maar rood.

**Geef (…) maar …**

– Heb je dorst?
– Ja, geef mij maar een pilsje.

**Ik neem …**

– En jij?
– Ik neem een broodje.

## Werkwoorden (2): kunnen, mogen

| | | *kunnen* | |
|---|---|---|---|
| 1 | Ik | **kan** | – Goedenavond, kunnen we hier eten? |
| 2 | U | **kan/kunt** | – Hebt u gereserveerd? |
| | Je | **kan/kunt** | |
| | | **kan/kun** je | – Zullen we vanmiddag naar de markt gaan? |
| 3 | Hij | **kan** | – Nee, vanmiddag kan ik niet. |
| | Ze | **kan** | |
| 1 | We | **kunnen** | |

| | | *mogen* | |
|---|---|---|---|
| 1 | Ik | **mag** | – Mag ik een appelsap van u? |
| 2 | U | **mag** | – Natuurlijk. |
| | Je | **mag** | |
| | | **mag** je | – Mogen we bestellen? |
| 3 | Hij | **mag** | – Ik kom zo bij u, mevrouw. |
| | Ze | **mag** | |
| 1 | We | **mogen** | |

## Woordvolgorde (3)

**Let op de plaats van het *onderwerp***

| | *Persoonsvorm* | *Onderwerp* | |
|---|---|---|---|
| Dan | moet | u | even wachten. |
| Morgen | gaan | we | naar de film. |
| Daar | komt | het eten | aan. |
| Zaterdag | komt | Erika | bij ons eten. |

## C 6 Een menu kiezen

*Max* Proost!
*Olga, Willy en Daan* Ja, proost!
*Willy* Wat nemen jullie?
*Daan* Ik weet het niet. Hebben ze hier
5 een dagschotel?
*Olga* Even vragen. Hebt u een dagschotel?
*ober* Ja, vis met friet en sla.
*Max* Wat voor vis?
10 *ober* Kabeljauw, heerlijk, meneer.
*Max* Zullen we dat doen?
*ober* Vier dagschotels?

| | |
|---|---|
| het menu | de friet |
| kiezen | de sla |
| proost | wat voor ... |
| de dagschotel | de kabeljauw |
| vragen | heerlijk |
| de vis | |

## C 7 Aan tafel

*Daan* Wat vinden jullie van de wijn?
*Max* Zoet, vind je niet?
*Daan* Ja, ik vind hem te zoet.
*Willy* O, ik houd wel van zoet.
*Olga* Daar komt het eten aan.
*ober* Alstublieft, vier dagschotels.
*Olga* Dank u wel.
*ober* Eet u smakelijk.
*Willy* Bedankt.

| | | | |
|---|---|---|---|
| aan tafel | zoet | aankomen | bedanken |
| de tafel | hem | het eten | |
| vinden | daar | eet smakelijk | |

## Positief beoordelen (1)

**Het is goed/heerlijk/...**
- Kabeljauw met friet en sla, is dat lekker?
- Dat is heerlijk.

**Ik vind leuk/lekker/...**
- Wat vind je van de wijn?
- Ik vind hem lekker.

**Ik houd van ...**
- De wijn is zoet, hè?
- Nou, ik houd wel van zoet.

## Negatief beoordelen (1)

**Dat is niet (zo) ...**
- De wijn is zoet.
- O, dat is niet zo leuk.

**Ik vind ... niet (zo) ...**
- Hoe is de kabeljauw?
- Ik vind de kabeljauw niet zo lekker.

**Niet (zo) ...**
- Hoe vind je het eten?
- Niet zo lekker.

**(Ik vind ...) te ...**
- Wat vind je van de wijn?
- Te zoet.

**Ik houd niet van ...**
- Drink je veel thee?
- Nee, ik houd niet van thee.

## Bedanken

| | |
|---|---|
| **Dank u.** | – Alstublieft, de wijn en het menu.<br>– Dank u. |
| **Dank je wel.** | – Vier dagschotels. Eet smakelijk.<br>– Dank je wel. |
| **Bedankt.** | – Eet u smakelijk.<br>– Bedankt. |

## Het persoonlijk voornaamwoord (3): we, u, jullie, ze

| | | |
|---|---|---|
| 1 | **we**<br>*accent:* **wij** | – Zullen we een fles wijn nemen?<br>– Ja, lekker. |
| 2 | *formeel:* **u** | – We wachten even.<br>– Goed, gaat u maar even aan de bar zitten. |
| | *informeel:* **jullie** | – Hebben jullie geen honger?<br>– Nee, wij niet. |
| 3 | **ze** | – Hebben ze hier een dagschotel?<br>– Even vragen. |
| | *accent:* **zij** | – Drinken jullie koffie?<br>– Nee, wij drinken thee, zij koffie. |

## Het werkwoord (2): meervoud

| | | *eten* | |
|---|---|---|---|
| 1 | We | **eten** | – Eten we friet? |
| 2 | U | **eet** | – Ja. |
| | Jullie | **eten** | |
| 3 | Ze | **eten** | – Ze eten kabeljauw. |
| | | | – O, lekker! |

| | | *drinken* | |
|---|---|---|---|
| 1 | We | **drinken** | – U drinkt wijn? |
| 2 | U | **drinkt** | – Ja, graag. |
| | Jullie | **drinken** | |
| 3 | Ze | **drinken** | – Jullie drinken thee? |
| | | | – Ja. |

## D 8 Smaken verschillen

*Monique Mertens:*
'Wat ik lekker vind? Ja, zoet hè? Geef mij maar een lekker glas cola en koffie of thee met veel suiker. In de zomer een ijsje … heerlijk!'

*Richard van den Berg:*
'Er gaat niets boven een haring! Op zaterdag loop ik graag even naar de visboer. De kinderen vinden het ook heerlijk op brood. En 's avonds natuurlijk een lekkere borrel of een biertje, dat smaakt wel!'

*Ramón López:*
'Ik houd niet van alcohol. Ik drink liever iets fris: appelsap, cola of water. Mijn lievelingsdrank is tonic, lekker bitter.'

*Angela de Coo:*
'Monique is een zoetekauw, maar ik niet. Ik houd meer van zuur en zout. Op brood heb ik liever vlees of jonge kaas dan zoet. En in het weekend eet ik graag chips!'

de smaak
verschillen
het glas
de cola
het ijsje
er gaat niets boven …
de haring
lopen
de visboer
het kind
het brood
de borrel
het bier
smaken
de alcohol
fris
het water
de lievelingsdrank
bitter
de zoetekauw
zuur
zout
het vlees
jong
de chips

## Het bijvoeglijk naamwoord (1)

**Bijvoeglijke naamwoorden: lekker, rood, goed, leuk, ...**

– Wat vind je van de vis?
– Lekker hoor.

– Is het ijsje lekker?
– Ja, heerlijk.

– Zijn die wijnen ook rood?
– Ja, mevrouw.

– Ik wil graag wijn.
– Rood of wit?

**Let op de vorm van het bijvoeglijk naamwoord *voor* het zelfstandig naamwoord**

| | *de-woorden* | | | *het-woorden* | | |
|---|---|---|---|---|---|---|
| enkelvoud | de | leuke | kaart | het | leuke | feest |
| | een | leuke | kaart | een | *leuk* | feest |
| meervoud | de | leuke | kaarten | de | leuke | feesten |
| | | leuke | kaarten | | leuke | feesten |

– Ze hebben hier leuke kaarten.
– Ja, en veel ook.

– Wat een leuk feest, hè?
– Ja, heel leuk.

## Ontkenning (2): niet

**Let op de plaats van *niet***

**1** *Vóór een bijvoeglijk naamwoord*

| | | |
|---|---|---|
| Het eten is | niet | lekker. |
| Ik vind de bar | niet | leuk. |
| De wijn is | niet | zoet. |

**2** *Vóór een voorzetsel*

| | | | |
|---|---|---|---|
| Ik houd | niet | van | vis. |
| Ze gaat | niet | naar | de film. |
| Hij komt | niet | uit | Frankrijk. |

E 9 # Menu Pizzeria La Capanna

## ZUPPE (soepen)

| | | |
|---|---|---|
| ***Zuppa di Pomodoro*** | *f* | 5,00 |
| *Tomatensoep* | | |
| ***Minestrone*** | *f* | 6,00 |
| *Groentesoep* | | |
| ***Tortellini in Brodo*** | *f* | 7,00 |
| *Tortellini in bouillon* | | |

## PASTA (meelspijzen)

| | | |
|---|---|---|
| ***Tagliatelle alla Bolognese*** | *f* | 13,50 |
| ***Tafliatelle ai Funghi*** | *f* | 14,50 |
| *Champignons in roomsaus* | | |
| ***Spaghetti alla Boscaiola*** | *f* | 13,50 |
| *Stukjes rundvlees champignons en roomsaus* | | |
| ***Spaghetti alla Carbonara*** | *f* | 13,50 |
| *Spek - room en ei* | | |
| ***Spaghetti Napoletana*** | *f* | 10,00 |
| *Tomatensaus* | | |
| ***Spaghetti Bologna*** | *f* | 12,00 |
| *Vlees in tomatensaus* | | |
| ***Spaghetti Roma (specialiteit)*** | *f* | 14,50 |
| *Kalfsvlees in tomatensaus - champignons en uien* | | |
| ***Spaghetti Italia (specialiteit)*** | *f* | 14,50 |
| *Uien - paprika - champignons - pittige saus en room* | | |
| ***Spaghetti al Pesto*** | *f* | 13,50 |
| *Spaghetti met basilicumsaus* | | |

## PIZZE (pizza's)

| | | |
|---|---|---|
| ***Vegetarische Calzone*** | *f* | 15,00 |
| *Tomaten - uien - paprika - champignons - artisjokken.* | | |
| ***Calzone Speciale*** | *f* | 15,50 |
| *Dubbel gevouwen pizza met kaas - tomaat en shoarmavlees* | | |
| ***Calzone*** | *f* | 15,00 |
| *Dubbelgevouwen pizza - tomaten - kaas - ham - salami - champignons en uien* | | |
| ***Vegetariana*** | *f* | 14,50 |
| *Tomaten - kaas - champignons - paprika - artisjokken - uien en olijven* | | |
| ***Tropical*** | *f* | 14,00 |
| *Met fruitcocktail* | | |
| ***Paradiso*** | *f* | 15,50 |
| *Tomaten - kaas - zalm - uien en pa[illegible]* | | |
| ***Enzo*** | *f* | 15,00 |
| *Spinazie en mozzarellakaas* | | |
| ***Margherita*** | *f* | 10,00 |
| *Tomaten - kaas.* | | |
| ***Napoletana*** | *f* | 12,50 |
| *Tomaten - kaas - ansjovis.* | | |

# 4 Wat bedoelt u?

## A 1 Met de taxi

*Mieke Smeets* Ik wil graag naar de Van Goghstraat.
*taxichauffeur* Pardon?
*Mieke Smeets* De Van Goghstraat.
*taxichauffeur* In welke buurt is dat?
*Mieke Smeets* In de Schilderswijk.
*taxichauffeur* Welke wijk?
*Mieke Smeets* De Schilderswijk.
*taxichauffeur* O ja, stapt u maar in.

| | |
|---|---|
| de taxi | de wijk |
| de taxichauffeur | instappen |
| de buurt | |

## A 2 Onderweg in de taxi

*taxichauffeur* Waar moet u zijn in de Van Goghstraat?
*Mieke Smeets* Wat zegt u?
*taxichauffeur* Op welk nummer moet u zijn in de Van Goghstraat?
*Mieke Smeets* O, op 43.
*taxichauffeur* Is dat bij de bioscoop?
*Mieke Smeets* Ik versta u niet.
*taxichauffeur* Nummer 43, is dat bij de bioscoop?
*Mieke Smeets* O, Cinematic bedoelt u. Ja, het is naast de bioscoop.

| | |
|---|---|
| onderweg | bedoelen |
| de bioscoop | naast |
| verstaan | |

### Zeggen dat je iemand niet verstaat

**Pardon?**
– Ik wil graag naar de Van Goghstraat.
– Pardon?

**Wat zegt u?**
– Waar moet u zijn in de Van Goghstraat?
– Wat zegt u?

**Ik versta u niet.**
– Is dat bij de bioscoop?
– Ik versta u niet.

## B 3 In een eetcafé

*Nils* We willen graag iets eten.
*serveerster* Dat kan, meneer. We hebben soep: tomatensoep, groentesoep, champignonsoep…
5 *Nils* Niet zo snel, alstublieft.
*serveerster* En we hebben broodjes: ham, kaas, rosbief, lever, salami, ei en kroket.
*Eva* Sorry, maar kunt u wat langzamer praten?
*serveerster* En verder tosti's en uitsmijters.
10 *Agneta* Een uitsmijter? Wat is dat?
*serveerster* Een uitsmijter is een boterham met een gebakken ei en ham.
*Nils* Kunt u nog een keer zeggen welke broodjes u hebt?
15 *serveerster* Kaas, ham, rosbief, lever, salami, ei en kroket.
*Eva* Ik neem een uitsmijter.
*Agneta* Ja, ik ook.
*Nils* Ja, voor mij ook, graag.
20 *serveerster* Drie uitsmijters.
*Agneta* En hebt u ook een asbak voor ons?
*serveerster* Ja, een ogenblik.

| | | | |
|---|---|---|---|
| het eetcafé | de rosbief | langzaam | ons |
| de serveerster | de lever | praten | het ogenblik |
| de soep | de salami | verder | – een ogenblik |
| de tomatensoep | het ei | de uitsmijter | |
| de groentesoep | de kroket | de boterham | |
| de champignonsoep | sorry | bakken | |
| snel | wat | de asbak | |

## Zeggen dat iemand te snel praat

**Niet zo snel, alstublieft.**
– We hebben soep: tomatensoep, groentesoep, champignonsoep.
– Niet zo snel, alstublieft.

**Kun je wat langzamer praten?**
– En we hebben broodjes: ham, kaas, rosbief, lever, salami, ei en kroket.
– Sorry, maar kun je wat langzamer praten?

**Kunt u … nog een keer zeggen?**
– Kunt u nog een keer zeggen welke broodjes u hebt?
– Ham, kaas, rosbief, lever, salami, ei en kroket.

## Het persoonlijk voornaamwoord (4): alle vormen

| | *onderwerp* | *niet-onderwerp* |
|---|---|---|
| 1 | **ik** | **me** |
| | | *met accent:* **mij** |
| 2 | **u** | **u** |
| | **je** | **je** |
| | *met accent:* **jij** | *met accent:* **jou** |
| 3 | **hij** | **hem** [əm] |
| | *met accent:* **hij** | |
| | **ze** | **haar** [ər/dər] |
| | *met accent:* **zij** | *met accent:* **haar** |
| | **het** | **het** [ət] |
| 1 | **we** | **ons** |
| | *met accent:* **wij** | |
| 2 | **u** | **u** |
| | **jullie** | **jullie** |
| 3 | **ze** | **ze** |
| | *met accent:* **zij** | *met accent:* **hen/hun** |

– Verstaat u me?
– Nee, ik versta u niet.

– Wil je koffie of thee?
– Het maakt me niet uit.

– Hoe gaat het met je?
– Goed, en met jou?

– Ik neem een uitsmijter.
– Ja, voor mij ook, graag.

– Nemen jullie ook wijn?
– Nee, wij nemen spa.

## C 4 Aan de kassa van een theater

*Bob Hafkamp* Ik wil graag twee kaarten voor Het Nederlands Danstheater.
*caissière* Voor welke voorstelling?
*Bob Hafkamp* Voor donderdagavond.
5 *caissière* Kunt u wat harder praten?
*Bob Hafkamp* Donderdagavond.
*caissière* Donderdag is alles uitverkocht, meneer.
*Bob Hafkamp* En op andere dagen?
*caissière* Ik heb nog wel een paar plaatsen voor u
10 op 27, 28 en 30 oktober of op 3 en 4 november.
*Bob Hafkamp* Kunt u dat nog een keer zeggen?
*caissière* Op 27, 28 en 30 oktober of op 3 en 4 november.
15 *Bob Hafkamp* Hm, wanneer heeft u de beste plaatsen?
*caissière* Op 28 oktober.
*Bob Hafkamp* Wat kosten die?

*caissière* Zestig gulden per persoon.
*Bob Hafkamp* Wat duur!
20 *caissière* Ja, de beste plaatsen zijn natuurlijk ook het duurst.
*Bob Hafkamp* Heeft u ze niet een beetje goedkoper?
*caissière* Dan krijgt u de slechtste plaatsen, voor dertig gulden.
*Bob Hafkamp* Nee, doet u maar twee van zestig.
*caissière* Dat wordt dan honderdtwintig gulden.

MT HET MUZIEKTHEATER
16 APR 95
20:15 H
f 40,00
+f 0,00
ZAAL
KAS 4 25
ANAPHASE
20 16 APR 95 20:15 H
ONEVEN
RIJ 4
f40,00+f0,00
STOEL 25 KAS
ZAAL

| | | | |
|---|---|---|---|
| de kassa | alles | de keer | het beetje |
| het theater | uitverkocht | kosten | – een beetje |
| de caissière | ander | die | goedkoop |
| de voorstelling | paar | de gulden | krijgen |
| de donderdagavond | – een paar | per persoon | slecht |
| hard | de plaats | wat duur | worden |

## Het zelfstandig naamwoord: meervoud

### Zelfstandige naamwoorden krijgen in het meervoud -en of -s

**1 -s**

Een woord krijgt in het meervoud een **-s** als het woord twee of meer lettergrepen heeft en eindigt op -el, -em, -en, -er, -je, of op -a, -é, -i, -o, -u, -y.

| *enkelvoud* | *meervoud* |
|---|---|
| de borr**el** | de borr**els** |
| de guld**en** | de guld**ens** |
| de ob**er** | de ob**ers** |
| het kop**je** | de kop**jes** |
| het caf**é** | de caf**és** |
| de tost**i** | de tost**i's** |
| het men**u** | de men**u's** |

**2 -en**

Andere woorden krijgen in het meervoud **-en**:

| *enkelvoud* | *meervoud* |
|---|---|
| de voorstelling | de voorstelling**en** |
| de kaart | de kaart**en** |
| de citroen | de citroen**en** |
| het park | de park**en** |

**voortouw**

**'voorstelling** ⟨de~ (v.); -en⟩ 1 keer dat iets, bijv. een film of een toneelstuk, wordt opgevoerd of vertoond ⇒ *opvoering, performance, vertoning* • *vanavond zijn er twee voorstellingen in de schouwburg* 2 afbeelding, iets dat iets voorstelt* (bet.3) • *een wandkleed met voorstellingen erop* 3 dat wat je je voorstelt* (bet.4) ⇒ *beeld* • *ze kan zich daar geen voorstelling van maken; hij geeft een verkeerde voorstelling van zaken* hij geeft de dingen verkeerd weer.
**voort** ⟨bijw.⟩ (ouderwets) verder.
**'voortaan** [ook: voor'taan] ⟨bijw.⟩ van nu af • *je moet voortaan achterom lopen om binnen te komen.*
**'voortbrengen** ⟨bracht voort, heeft voortgebracht⟩ *iets voortbrengen* het doen ontstaan, het scheppen ⇒ *produceren* • *kinderen voortbrengen; de boom brengt vruchten voort; dat land heeft veel grote kunstenaars voortgebracht* (uitdr.) daar komen veel grote kunstenaars vandaan.

De vormen van het meervoud staan in het woordenboek.

## Vergelijking: hard - harder - hardst

**1 Vergrotende trap: + -(d)er**

| | | |
|---|---|---|
| hard | – hard**er** | Kunt u wat harder praten? |
| langzaam | – langzam**er** | Kunt u wat langzamer praten? |
| duu**r** | – duur**der** | Welk menu is duurder? |

**2 Overtreffende trap: + -st(e)**

| | | |
|---|---|---|
| duur | – duur**st** | Ze kopen de duurste kaartjes. |
| leuk | – leuk**st** | Café Bos is het leukste café. |
| snel | – snel**st** | Karin praat het snelst. |

**3 Onregelmatige vormen**

| | | | |
|---|---|---|---|
| goed | – **beter** | – **best** | De beste plaatsen zijn dertig gulden. |
| graag | – **liever** | – **liefst** | Ga je mee of blijf je liever thuis? |
| veel | – **meer** | – **meest** | Heeft u nog meer plaatsen? |
| weinig | – **minder** | – **minst** | De slechtste plaatsen kosten het minst. |

# EEN BETER MILIEU BEGINT...

**(HANDIGE TIPS VOOR MINDER VERSPILLING EN MINDER AFVAL)**

**IN UW WINKELWAGENTJE**

Als u inkopen gaat doen, zorgt u meteen voor minder afval en dus minder verspilling als u even denkt aan de volgende tips.

**Duurzaam** Koop zoveel mogelijk duurzame produkten. Uiteindelijk goedkoper en vaak te repareren.

**Onverpakt** Als 't even kan, kies dan onverpakte produkten. Denk aan groenten, fruit, snoepgoed en dergelijke.

**Weinig verpakt** Koop bij voorkeur eenvoudig verpakte produkten, dus bijvoorbeeld zo min mogelijk blisterverpakkingen.

**Statiegeld** Als u kunt kiezen, neem dan produkten waar statiegeld op zit.

**Navulverpakkingen** Kies verpakkingen die u opnieuw kunt vullen. Denk aan (vaat)wasmiddelen, wasverzachters en cosmetica.

**Hergebruik** Statiegeld of hervulbaar niet mogelijk? Gebruik dan bij voorkeur verpakkingen van papier, karton en glas. Die kunnen in de glas- of papierbak. Maar let op: melk- en vruchtesap-pakken mogen er niet bij.

**Grootverpakkingen** Grootverpakkingen zijn beter voor het milieu dan kleinverpakkingen, want er wordt naar verhouding minder materiaal voor gebruikt. Van 10 kuipjes koffiemelk houdt u meer afval over dan van koffiemelk in een (statiegeld)flesje.

**Schadelijkheid** Mijd schadelijke materialen. Gebruik verf op waterbasis. Denk ook aan groene zeep in plaats van allesreinigers. Kies niet-chloorgebleekt en ongekleurd papier.

**BIJ U THUIS**

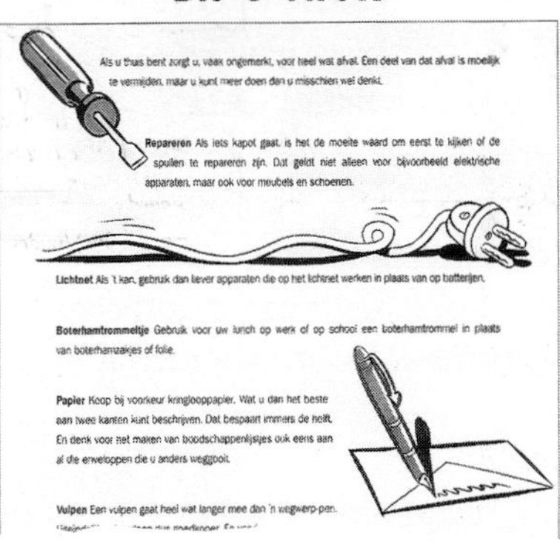

Als u thuis bent zorgt u, vaak ongemerkt, voor heel wat afval. Een deel van dat afval is moeilijk te vermijden, maar u kunt meer doen dan u misschien wel denkt.

**Repareren** Als iets kapot gaat, is het de moeite waard om eerst te kijken of de spullen te repareren zijn. Dat geldt niet alleen voor bijvoorbeeld elektrische apparaten, maar ook voor meubels en schoenen.

**Lichtnet** Als 't kan, gebruik dan liever apparaten die op het lichtnet werken in plaats van op batterijen.

**Boterhamtrommeltje** Gebruik voor uw lunch op werk of op school een boterhamtrommel in plaats van boterhamzakjes of folie.

**Papier** Koop bij voorkeur kringlooppapier. Wat u dan het beste aan twee kanten kunt beschrijven. Dat bespaart immers de helft. En denk voor het maken van boodschappenlijstjes ook eens aan al die enveloppen die u anders weggooit.

**Vulpen** Een vulpen gaat heel wat langer mee dan 'n wegwerp-pen.

**IN UW VUILNISZAK**

We zijn al 'n end op weg om al het huishoudelijk afval te scheiden. Maar nog niet alle gemeenten bieden op dit moment dezelfde mogelijkheden. Onderstaande tips kunnen u in ieder geval helpen.
Als u meer informatie wenst over bepaalde inzamelmogelijkheden, bel dan met de gemeentereiniging.

**Textiel** Textiel kunt u kwijt bij inzamelacties van bijvoorbeeld het Leger des Heils of naar 'n tweedehands winkel brengen. En een kapot hemd is een prima poetsdoek.

**Chemisch afval** Chemisch afval hoort niet thuis in de vuilniszak. Lever het in bij de inzamelplaats voor klein chemisch afval in uw gemeente of bij de Chemokar. Veel chemisch afval kunt u trouwens ook kwijt in de winkel waar u het oorspronkelijke produkt heeft gekocht.

**Groente-, fruit- en tuinafval** Steeds meer gemeenten gaan groente-, fruit- en tuinafval gescheiden inzamelen om er compost van te maken. Is dat in uw gemeente nog niet het geval? Dan is het vaak wel mogelijk om een compostvat te kopen of te huren om zelf compost in uw tuin te maken.

**Papier en karton** Karton en oud papier horen evenmin in de vuilniszak thuis. Denk ook eens aan enveloppen, folders en kartonnen verpakkingen. U kunt dit het beste naar de papierbak brengen, of meegeven aan een inzamelaar van oud papier.

**Glas** Lege flessen en glazen potten waar geen statiegeld op zit, kunt u in de glasbak kwijt. Denk vooral aan de kleine glazen potjes (kruiden, babyvoeding). En

Ministerie van VROM, Den Haag.

## D 5 Op straat

*colporteur* Dag mevrouw, mag ik u iets vragen?<br>
*Helga de Kam* Natuurlijk.<br>
*colporteur* Leest u veel?<br>
*Helga de Kam* Nou, veel, wat is veel?<br>
5 *colporteur* Leest u meer dan vier boeken per jaar?<br>
*Helga de Kam* Ja, maar wat bedoelt u?<br>
*colporteur* Ik heb een interessante aanbieding voor u van de ENB.<br>
*Helga de Kam* Wat betekent dat, ENB?<br>
*colporteur* De ENB is de Eerste Nederlandse Boekenclub.<br>
10 U kunt bij ons goedkoop boeken kopen.<br>
*Helga de Kam* Nee, dank u, ik heb geen belangstelling.<br>
*colporteur* Een woordenboek kost bij ons geen vijftig gulden, maar vijfentwintig gulden.<br>
*Helga de Kam* Ja, maar ik heb geen belangstelling.<br>
15 *colporteur* Een woordenboek voor de helft van de prijs!<br>
En het volledige werk van Mulisch voor maar honderd gulden.<br>
*Helga de Kam* Nee, echt niet.<br>
Ik heb geen interesse.<br>
*colporteur* Als u nu lid wordt, mag u drie boeken voor een tientje<br>
20 uitzoeken.<br>
*Helga de Kam* Dank u, maar ik ben niet geïnteresseerd.

| | | |
|---|---|---|
| op straat | betekenen | de interesse |
| de colporteur | de boekenclub | als |
| lezen | belangstelling hebben (voor) | nu |
| het boek | het woordenboek | het lid |
| het jaar | voor de helft van de prijs | het tientje |
| interessant | volledig | uitzoeken |
| de aanbieding | echt | zich interesseren (voor) |

## Uitleg vragen

**Wat bedoelt u?**
– Leest u meer dan vier boeken per jaar?
– Ja, maar wat bedoelt u?

**Wat betekent dat?**
– Ik heb een interessante aanbieding voor u van de ENB.
– Wat betekent dat, ENB?

**Wat is dat?**
– Verder hebben we tosti's en uitsmijters.
– Een uitsmijter, wat is dat?

## Geen interesse hebben

**Ik heb geen belangstelling.**
– U kunt bij ons goedkoop boeken kopen.
– Nee, dank u, ik heb geen belangstelling.

**Ik heb geen interesse.**
– Een woordenboek voor de helft van de prijs!
– Nee, ik heb geen interesse.

**Ik ben niet geïnteresseerd.**
– Als u nu lid wordt, mag u drie boeken voor een tientje uitzoeken.
– Dank u, maar ik ben niet geïnteresseerd.

## Ontkenning (3): geen

**Bij een *onbepaald* zelfstandig naamwoord: *geen***

een gulden
– Heb je een gulden voor me?
– Nee, sorry, ik heb **geen** gulden.

suiker
– Met melk en suiker?
– **Geen** suiker, wel melk graag.

zin
– Heb je zin om vanavond naar een concert te gaan?
– Nee, ik heb **geen** zin om naar een concert te gaan.

plaatsen
– Hebt u nog plaatsen voor donderdagavond?
– Nee meneer, voor donderdagavond heb ik **geen** plaatsen meer.

## D 6 Vrije tijd

# Wat doet u het liefst in uw vrije tijd?

**2 Sport u graag?**

**a** voetballen
**b** tennissen
**c** .....

**3 Houdt u van ...?**

**a** muziek maken
**b** bakken
**c** wandelen
**d** verre reizen maken
**e** .....

**4 Bent u graag thuis?**
**Wat doet u dan?**

**a** koffie drinken met een vriend(in)
**b** lezen
**c** muziek luisteren
**d** televisie kijken
**e** uitslapen
**f** in de tuin werken
**g** .....

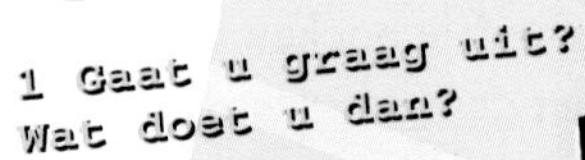

**1 Gaat u graag uit?**
**Wat doet u dan?**

**a** naar een feest
**b** naar een café
**c** naar de bioscoop
**d** naar het theater
**e** naar een museum
**f** .....

**5 Of ...?**

**a** gaat u naar de kerk of de moskee
**b** hebt u interesse voor politiek
**c** bent u lid van een club
**d** bent u lid van een vereniging
**e** .....

| | | | |
|---|---|---|---|
| de vrije tijd | tennissen | luisteren | de moskee |
| het museum | de muziek | televisie kijken | de politiek |
| sporten | wandelen | uitslapen | de club |
| voetballen | ver | de tuin | de vereniging |
| | de reis | de kerk | |

## E 7 Folder CD Music Club

## E 8 Een boek

Een boek is een hoofd vol gedachten
Een boek is een blik om de hoek
Een boek is een vriend om te achten

Een boek is een boek is een boek

*Anonymus*

# 5 Anders nog iets?

# A 1 In een groentewinkel

| | |
|---|---|
| *groenteboer* | Wie is er aan de beurt? |
| *mevrouw Van Zanden* | Ik. Mag ik een kilo druiven? |
| *groenteboer* | Wilt u witte of blauwe? |
| *mevrouw Van Zanden* | Hoe duur zijn ze? |
| 5 *groenteboer* | De witte zijn *f* 1,98 een kilo en de blauwe *f* 2,25. |
| *mevrouw Van Zanden* | Zijn de witte zoet? |
| *groenteboer* | Ja mevrouw, ze zijn heerlijk. |
| *mevrouw Van Zanden* | Geeft u daar maar een kilo van. |
| *groenteboer* | Anders nog iets? |
| *mevrouw Van Zanden* | Twee paprika's. |
| *groenteboer* | Rood, geel of groen? |
| *mevrouw Van Zanden* | Rode graag. |
| *groenteboer* | Dat was het? |
| *mevrouw Van Zanden* | Ja. |
| 15 *groenteboer* | Dat is dan *f* 3,96 bij elkaar. |
| *mevrouw Van Zanden* | Alstublieft. |
| *groenteboer* | Vier, vijf en dat is tien. |
| *mevrouw Van Zanden* | Dank u wel. |

| | | | |
|---|---|---|---|
| de groentewinkel | de kilo | anders | bij elkaar |
| de groenteboer | de druif | de paprika | |
| wie is er aan de beurt? | blauw | geel | |
| aan de beurt zijn | daar (...) van | groen | |

## Vragen wat iemand wil kopen

**Zegt u het maar.**
– Zegt u het maar, mevrouw.
– Een kilo kaas, alsublieft.

**Anders nog iets?**
– Anders nog iets?
– Nee, dank u.

**Dat was het?**
– Dat was het?
– Ja.

## Zeggen wat je wilt kopen

**Mag ik ...?**
- Mag ik een kilo druiven?
- Wilt u witte of blauwe?

**Ik wil graag ...**
- Ik wil graag drie citroenen.
- Alstublieft.

**... (graag/alstublieft).**
- Anders nog iets?
- Twee paprika's; rode graag.

## Spelling (1)

**1 *f, s* aan het eind van een woord of voor een medeklinker**
***v, z* voor een klinker**

een drui**f** — een kilo drui**v**en
een hal**f** pond — een hal**v**e kilo

Ik blij**f** thuis. — We blij**v**en het weekend thuis.
Jij lee**s**t veel boeken. — Jullie le**z**en 's avonds altijd.

**2 woorden die eindigen op *a, o, u, i* krijgen in het meervoud: *'s***

een tost**i** — twee tosti**'s**
een paprik**a** — twee paprika**'s**
een men**u** — twee menu**'s**

## B 2 In een schoenenwinkel

*verkoopster* Goedemorgen.
*Fernando Quiros* Goedemorgen mevrouw. Verkoopt u sportschoenen?
*verkoopster* Ja hoor. Welke maat heeft u?
*Fernando Quiros* Maat 40.
5 *verkoopster* Ik zal even iets voor u halen. Hoe vindt u deze?
*Fernando Quiros* O, wel aardig.
*verkoopster* En die?
*Fernando Quiros* Die vind ik leuker.

| | | |
|---|---|---|
| | *verkoopster* | Trekt u ze maar even aan. Zitten ze goed? |
| 10 | *Fernando Quiros* | Ze zijn een beetje smal. Heeft u ze misschien een maat groter? |
| | *verkoopster* | Nee, ik heb ze niet groter. |
| | *Fernando Quiros* | O, wat jammer. |
| | *verkoopster* | Ik heb hier nog wel een ander paar, maat 41. Probeert u die |
| 15 | | eens. |
| | *Fernando Quiros* | Die zitten veel beter. |
| | *verkoopster* | En hoe vindt u ze? |
| | *Fernando Quiros* | Ik vind ze niet zo mooi. Die andere zijn mooier. Maar deze zitten het lekkerst. Wat kosten ze eigenlijk? |
| 20 | *verkoopster* | *f* 59,75. |
| | *Fernando Quiros* | O, dat valt mee. Doet u deze maar. |

| | | |
|---|---|---|
| de schoenenwinkel | deze | het paar |
| de verkoopster | wel aardig | proberen |
| verkopen | aantrekken | eens |
| de sportschoen | goed/lekker/... zitten | mooi |
| ja hoor | smal | eigenlijk |
| de maat | groot | meevallen |
| halen | wat jammer | – dat valt mee |

## B 3 In een warenhuis

*Marije Imberechts* Meneer?
*verkoper* Zegt u het maar, mevrouw.
*Marije Imberechts* Ik zoek een spijkerbroek. Waar kan ik die vinden?
*verkoper* Dan moet u op de eerste verdieping zijn.
5 *Marije Imberechts* Ah, dank u wel.

*Marije Imberechts* Mevrouw, is deze groot genoeg voor mij?
*verkoopster* Welke maat draagt u?
*Marije Imberechts* Maat 42.
*verkoopster* Dan moet u deze hebben.
10 *Marije Imberechts* Mag ik deze twee even passen?
*verkoopster* Ja, natuurlijk.

*verkoopster* Ze zijn allebei goed, hè?
*Marije Imberechts* Nee, ik vind deze niet goed; hij is te lang. Ik neem die andere.

| | | | |
|---|---|---|---|
| het warenhuis | de spijkerbroek | genoeg | allebei |
| de verkoper | eerste | dragen | lang |
| zoeken | de verdieping | passen | |

### Voorkeur hebben (2)

**Ik vind … mooier/leuker/…**
– Het Bonnefantenmuseum in Maastricht is zo mooi!
– Ja, maar ik vind het Groninger Museum mooier.

**Ik vind … het mooist/leukst/…**
– Hoe vindt u ze?
– Ik vind deze het leukst.

## Het aanwijzend voornaamwoord: deze, dit, die, dat.

| | *de-woorden* | *het-woorden* |
|---|---|---|
| hier | **deze**<br>Probeert u deze broek eens.<br>Deze schoenen zijn te klein. | **dit**<br>Dit menu neem ik.<br>Hoe vind je dit boek? |
| daar | **die**<br>Die kaas is lekker.<br>Die druiven zijn heerlijk. | **dat**<br>Ik vind dat menu lekkerder.<br>Dat boek is goed hoor. |

Bij ***contrast***

**Deze** schoenen zitten lekker, maar **die** (schoenen) niet.
**Die** broek is te kort, ik neem **deze** (broek).
**Dat** boek vind ik niet leuk, ik neem **dit** (boek).

## C 4 Op de markt

*verkoper* Mevrouw, zegt u het maar.
*mevrouw Geel* Een stuk belegen kaas, alstublieft.
*verkoper* Hoe zwaar mag dat zijn?
*mevrouw Geel* Anderhalf pond.
5 *verkoper* Eh, ietsje meer, mevrouw.
*mevrouw Geel* O, dat geeft niet.
*verkoper* Anders nog iets?
*mevrouw Geel* Een pakje boter en tien eieren.
*verkoper* Grote of kleine?
10 *mevrouw Geel* Doet u maar grote. Hoeveel is het?
*verkoper* Dat is dan eh .... *ƒ* 22,35.
*mevrouw Geel* Kunt u *ƒ* 100,– wisselen?
*verkoper* Hebt u het niet kleiner?
*mevrouw Geel* Nee, ik heb helemaal geen
15 kleingeld.

het stuk
belegen
zwaar
anderhalf
het pond
ietsje meer
het pakje
de boter
klein
hoeveel
wisselen
heeft u het niet kleiner?
helemaal
het kleingeld

## Vragen naar de prijs

**Wat/Hoeveel kost ...?**

– Hoeveel kost een kaartje?
– Dertig gulden per persoon.

– Wat kosten die paprika's?
– Drie voor twee gulden, meneer.

**Hoe duur is ...?**

– Hoe duur is een broodje kaas?
– *f* 2,50.

– Hoe duur zijn die sinaasappels?
– Die zijn *f* 2,98.

**Hoeveel is ...?**

– Hoeveel is het?
– Dat is dan eh ... *f* 22,35.

– Hoeveel zijn deze druiven?
– Die kosten *f* 2,25 een kilo.

## Vragen naar het gewicht

**Hoeveel weegt ...?**

– Hoeveel weegt dat stuk kaas?
– Dat weegt een kilo.

– Hoeveel wegen die druiven?
– Anderhalf pond. Mag dat?

**Hoe zwaar is ...?**

– Hoe zwaar is dat stuk kaas?
– Een kilo.

– Hoe zwaar zijn de paprika's?
– Een kleine kilo, mevrouwtje.

## Gewicht

1000 gram = een kilo(gram) (1 kg)
500 gram = een pond/een halve kilo
100 gram = een ons
250 gram = een half pond

## Geld

**Munten**

| | |
|---|---|
| een stuiver (5 cent) | *f* 0,05 |
| een dubbeltje (10 cent) | *f* 0,10 |
| een kwartje (25 cent) | *f* 0,25 |
| een gulden (100 cent) | *f* 1,00 |
| een rijksdaalder | *f* 2,50 |
| een vijfje | *f* 5,00 |

**Briefjes**

| | |
|---|---|
| een briefje van 10 (een tientje) | *f* 10,00 |
| 25 | *f* 25,00 |
| 50 | *f* 50,00 |
| 100 | *f* 100,00 |
| 250 | *f* 250,00 |
| 1000 | *f* 1000,00 |

# D 5 Eten voor een joet

Geen zin om te koken? Winkels overal dicht? Goed eten buiten de deur kan best voor weinig geld. Hollandse potten, vegetarisch en buitenlands eten, alles kan, voor een tientje of iets meer.

### Amsterdam
Een echte Hollandse kaart vind je in restaurant *Hap-Hmmm*. Hier bestaat een maaltijd altijd uit aardappelen, vlees en groente. De groenten worden lekker lang gekookt. Voor *f* 2,50 extra krijg je ook soep en een toetje. *1e Helmersstraat 33, (020) 6181884.*

### Wageningen
De duurste maaltijd in het Surinaamse *Apoera* kost *f* 18,50. Maar voor *f* 10,50 kun je al een heerlijke roti krijgen. *Kapelstraat 3, (0317) 413739.*

### Rotterdam
Bij café *'t Bolwerk* heb je voor *f* 8,50 een warme maaltijd (rijst, stamppot en meestal 'iets met friet'). Ook fruit en zwarte koffie vind je op de menukaart. Houd je van uitslapen? Om 11.30 uur kun je naar *'t Bolwerk* voor een ontbijt of een lunch. *Geldersekade 1c, (010) 4142142.*

### Den Haag
Bij *Chez Val* komen alleen vegetarische maaltijden op de menukaart voor (groot *f* 15,–, klein *f* 12,–, soep *f* 3,25, toetje *f* 3,50). Ook wijn, bier en fris te krijgen. *Prinsengracht 12, (070) 3637699.*

Naar: 'Diner voor een joet', *NRC Handelsblad*, 24 november 1994.

| | | | | | |
|---|---|---|---|---|---|
| de joet | buiten de deur | bestaan uit | het toetje | de rijst | het ontbijt |
| koken | het geld | de maaltijd | Surinaams | de stamppot | de lunch |
| de winkel | de Hollandse pot | altijd | al | meestal | voorkomen |
| overal | vegetarisch | de aardappel | de roti | het fruit | alleen |
| dicht | buitenlands | extra | warm | zwart | |

## Spelling (2)

1 **Als het korte woord een /a/, /o/, /e/, /u/ of /i/ heeft, gevolgd door één medeklinker, verdubbel dan die medeklinker als het woord langer wordt.**

| | |
|---|---|
| een fle**s** | twee fle**ss**en |
| de boterha**m** | drie boterha**mm**en |
| Ik wi**l** graag paprika's. | We wi**ll**en geen druiven. |
| Wat ze**g** je? | Ze ze**gg**en niets. |
| Deze wijn is wi**t**. | De wi**tt**e wijn. |

2 **Als het korte woord een /aa/, /oo/, /ee/ of /uu/ heeft, gevolgd door één medeklinker, halveer dan de spelling van de klinker als het woord langer wordt.**

| | |
|---|---|
| De paprika is r**oo**d. | Een r**o**de paprika. |
| Die paprika's zijn g**ee**l. | Hebt u g**e**le paprika's? |
| een tom**aa**t | een pond tom**a**ten |
| De wijn is z**uu**r. | Z**u**re wijn. |
| Hij vr**aa**gt niets. | Zij vr**a**gen de groenteboer iets. |
| Ze **ee**t een boterham. | Wat **e**ten jullie? |

**D** **6** **Op reis**

Een kist karbonade
met zuurkool met worst,
een krat limonade
zo goed voor de dorst,
een koffer vol kazen
met haring met ijs,
ja, zo gaat Jan Klaassen,
Jan Klaassen op reis.

*Willem Wilmink*

Uit: Willem Wilmink, *Verzamelde liedjes en gedichten.* Amsterdam, Uitgeverij Bert Bakker 1986.

| | | | |
|---|---|---|---|
| op reis | de karbonade | de worst | de limonade |
| de kist | de zuurkool | het krat | de koffer |

## E 7 Recept zuurkoolstamppot

De basis van een stamppot is altijd aardappels en een groente. Dit is het recept voor zuurkoolstamppot (voor 4 personen):

❖

**1,5 kg aardappels**
**1,5 dl water**
**500 gr zuurkool**
**150 gr spekblokjes**
**50 gr boter**
**beetje melk**
**zout, peper**
**1 rookworst**

❖

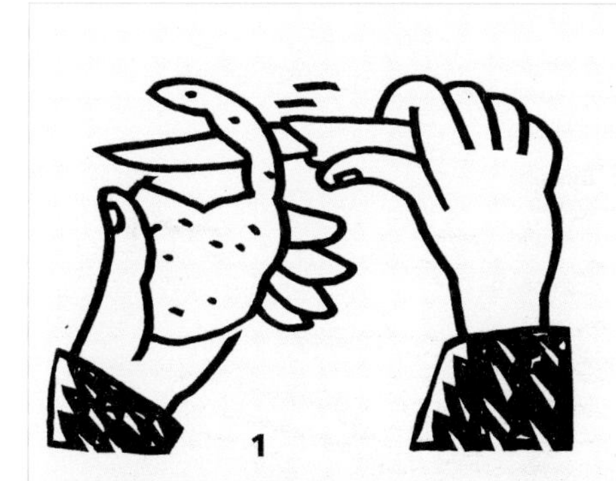

1

Aardappels schillen, wassen en in vieren snijden; aardappels met het water en een beetje zout in een pan doen; zuurkool op de aardappels leggen en alles in 30 minuten gaar koken.

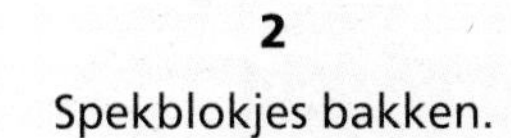

2

Spekblokjes bakken.

3

Aardappels en zuurkool stampen; spekblokjes en een beetje melk erbij doen; op smaak maken met zout en peper.

Eet er een rookworst bij.

## E 8 Winkelcentrum 'Torenzicht'

**De speciaalzaken van het winkelcentrum „Torenzicht"**

Spaaraktie: eenvolle spaarkaart is nu goed voor twee zeer fraaie kop en schotels, deze aktie loopt tot 10 december 1994

| | |
|---|---|
| **Oostrum versmarkt**<br>Aardappelen-groente-fruit | Torenzicht 66 a<br>Eemnes |
| **Kapsalon Dekkers**<br>Dames- en Heren kapper | Torenzicht 66 a<br>Eemnes |
| **Het Wapen van Eemnes**<br>Slijterij - Wijnkoperij | Torenzicht 66b<br>Eemnes |
| **E. Wassenaar & Zn.**<br>Luxe brood- en banketbakkerij | Torenzicht 66d<br>Eemnes |
| **Slagerij van Hees**<br>Voor een goed stuk vlees | Torenzicht 68<br>Eemnes |
| **Bloemenhuis „Torenzicht"**<br>Planten en snijbloemen | Torenzicht 68a<br>Eemnes |
| **Dik Trom**<br>Café-biljart | Torenzicht 74<br>Eemnes |
| **Appelboom**<br>Boek- en kantoorboekhandel | Torenzicht 66c<br>Eemnes |
| **Golden House**<br>Chinees Indisch Afhaal-Centrum | Torenzicht 78<br>Eemnes |

WINKELEN IN TORENZICHT? ALLICHT!!

# 6 Hoe heet dat ook al weer?

## A 1 De etalage van een kledingzaak

| | | | | | |
|---|---|---|---|---|---|
| de etalage | de jurk | de laars | de jas | de riem | de want |
| de kledingzaak | de regenjas | de das | de hoed | de blouse | de muts |
| de handschoen | de ceintuur | het vest | het overhemd | de rok | het jack |
| de sjaal | de kous | de sok | het colbert | de trui | |

## A 2 In de stomerij

*Simon Vis* Dag, ik kom mijn broek halen.
*medewerker* Heeft u de bon?
*Simon Vis* Ja, alstublieft.
*medewerker* Dank u wel. Nou, ik zie hem niet. Wanneer heeft u hem
5 gebracht?
*Simon Vis* Eens kijken … eh …, woensdag, denk ik.
*medewerker* Hoe ziet uw broek eruit?
*Simon Vis* Ja, eh … hoe moet ik dat zeggen?
Gewoon, zwart, met, met, met, met, hoe heet dat, met zo'n,
10 eh … met zo'n plooi.
*medewerker* O, een bandplooi bedoelt u. Is dit uw broek?
*Simon Vis* Nee, die is het niet.
*medewerker* Deze dan misschien?
*Simon Vis* Ja, die is het.

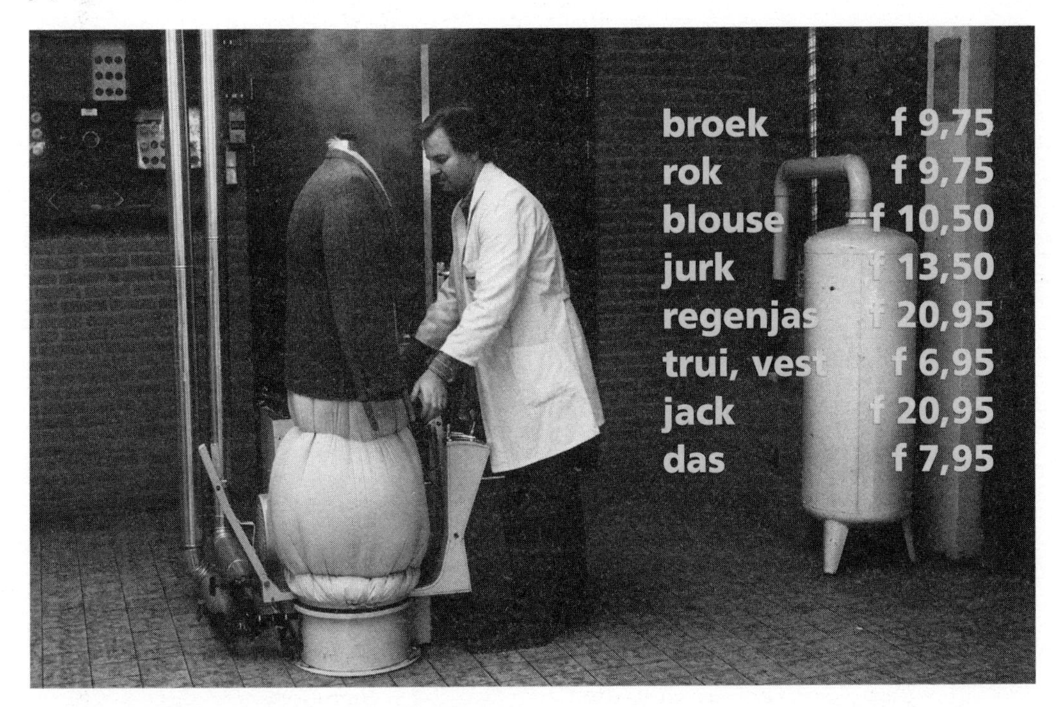


| | |
|---|---|
| de stomerij | eruitzien |
| de medewerker | gewoon |
| de bon | zo'n |
| brengen | de plooi |
| denken | de bandplooi |

## Nadenken

**Nou, ... (eh) ...**

- Kom je ook vanavond?
- Nou, ik weet het nog niet.

- Ik kom mijn broek halen.
- Nou, eh, ik zie hem niet.

**Even/Eens kijken, ...**

- Wat kost een kaartje voor Youssou N'Dour?
- Even kijken, eh... dertig gulden.

- Wanneer heeft u de broek gebracht?
- Eens kijken, eh... woensdag, denk ik.

## Naar woorden zoeken

**Hoe heet dat (ook al weer)?**

- Als iets goedkoper is in een winkel, hoe heet dat ook al weer?
- Bedoel je misschien een aanbieding?

- Hoe ziet uw broek eruit?
- Gewoon, zwart, met, met, met, met, hoe heet dat, met zo'n, eh... met zo'n plooi.

**Hoe moet ik dat zeggen?**

- Hoe ziet uw broek eruit?
- Ja, eh... hoe moet ik dat zeggen? Gewoon, zwart, met zo'n plooi.

### Verwijzen (1): die en dat

***Die* en *dat* kunnen verwijzen naar een eerder genoemde persoon of zaak:**

- Zie je *Piet en Marja*?
- Nee, *die* zie ik niet.

- Zie je *mijn jack*?
- Ja, *dat* hangt daar.

1 *Bij personen en de-woorden:* **die**

- Waar woont *Mario*?
- *Die* woont in Rotterdam.

- Hebt u *de bon*?
- Ja, *die* heb ik.

2 *Bij het-woorden:* **dat**

- Waar is *mijn vest?*
- *Dat* heb ik naar de stomerij gebracht.

- Waar heb je *mijn kaartje voor vanavond*?
- *Dat* heb ik hier.

## Het bezittelijk voornaamwoord

| | | |
|---|---|---|
| 1 | **mijn** [mən]<br>*met accent:* **mijn** | – Dag, ik kom mijn broek halen.<br>– Hoe ziet uw broek eruit? |
| 2 | *informeel:* **je**<br>*met accent:* **jouw**<br>*formeel:* **uw** | – Is dit jouw boek?<br>– O, ja! |
| 3 | *man:* **zijn** [zən]<br>*met accent:* **zijn**<br>*vrouw:* **haar** [dər]<br>*met accent:* **haar** | |
| 1 | *het-woord:* **ons**<br>*de-woord, meervoud:* **onze** | |
| 2 | *informeel:* **jullie**<br>*formeel:* **uw** | – Is dit uw broek?<br>– Nee, dat is haar broek. |
| 3 | **hun** | |

## B 3 Kleding aangeboden en gevraagd

**KLEDING**
**AANGEBODEN 730**

•**Avondjurk**, Hoffmann, exclusief, maat 38, paars, enkellang, a-symmetrisch lijfje, een schouder bloot, strik bij taille, heel apart. Door omstandigheden nooit gedragen, dus echt als nieuw, prijs f 250,-. 036-5339300

•**Avondjurk** zwart met goud, wijd model, soepele stof, maat 40, f 50,-. 075-218074 (eventueel antwoordapparaat inspreken)

•**Avondkleding**, mooi, 2 jurken, blauw, per stuk f 50,-. 075-171804 b.g.g. 020-6891257.

•**Beeldige** dameskleding, maat 36/38, 1 x gedragen, gaat weg voor weggeefprijsjes, dames, kijk/pas vrijblijvend. Bel eerst snel voor afspraak. 02907-8836

•**Benkat-jas**, f 150,-. 020-6919454 o 6957838

•**Blazer**, Haute Couture, donkerblauw, maat 36, prijs f 35,- + donker gestreepte rok, maat 36, prijs f 25,-. Beiden zuiver wollen stof. Tevens diverse blouses en jumpers. 020-6795584

•**Blouse**, getailleerd, suede, maat 38, naturelkleur. 020-6209485

•**Bondjasje**, kort model nerts 42-44, weinig gedragen f 60,-. 020-6972604

•**Bontjas**, type langharige wolf, halflang model, maat 38/40, f 550,-; bontjas, type kortharige wolf, maat 38/40, lang model, f 700,-. 020-6998118

•**Bontjas**, bever, maat 38/40, vraagprijs f 800,-. 020-6642837

•**Bontjas**, kunst, klassiek lang model, bruin, maat small, f 50,-; sportief tweezijdig te dragen eendendonswinterjack, maat medium, groen/wit, f 50,-; Mexx mantelpakje, maat 36/38, groen/zwart/wit kleine ruit, f 50,-; zwarte strapless cocktailjurk met jasje, maat medium, f 50,-. 020-6475891

•**Bontjas** nerts, lang, met mooie kraag, maat 44-46, circa f 450,-, tevens nieuwe zwarte smoking, 1 keer gedragen, lengtemaat 51, 2 overhemden, maat 39-40, samen f 450,-. 020-6113392

•**Bontjas**, nieuw, nerts, lichtbruin gemeleerd, maat 42, lang 1.1m, plus muts. 020-6310650 na 18.00 uur.

•**Bontjas**, nerts imitatie, maat 40-42. 075-170387

•**Bontjas**, nerts, lang, van f 2500,-, voor f 1500,-, maat 46. 020-6126931

•**Bontjas**, wolf, lang, gemeleerd, roestbruin, zwart en beige, f 200,-. 020-6629629

•**Bontjas**, nerts, lang, getailleerd, licht bruin gevlamd, maat 40, nieuw, was f 2.000,-, nu f 750,-. 020-6910899

•**Bontjasje**, Cherba, f 125,-. 02990-60160

•**Bontjasje**, Bisam, maat 40, zeer mooi, f 450,-. 020-6447176

•**Bontjasje**, nieuw, heupmodel, GAE wolfbont, maat 40-42, nieuwprijs f 975,-, vraagprijs f 200,-. 020-6138183

**KLEDING**
**GEVRAAGD 731**

•Internationale hulporganisatie vraagt KLEDING, dekens en beddegoed voor Midden Oosten, Afrika en Oostbloklanden. 020-6242585

•**Bomber Jack** gevraagd, Flight Jacket, in elke staat, alleen "made in USA", zie label, geen imitatie. 020-6202621 (eventueel antwoordapparaat inspreken).

•**Campri-jack** gevraagd, grijze body met zwarte mouwen, rode letters aan achterkant, maat medium of large. 030-936549 na 18.00 uur.

•**Damesjas**, zwart, leer, lang, maat 36-38, nooit gebruikt, f 50,-. 020-6335851

•**Damesparka** gevraagd, zwart leer, met afneembare rits, maat XL of zijden parka met kraag, kleur maakt niet uit. 020-6449668

•**Dirty Dancing** shirt gevraagd. 08370-11942 vragen naar Aldert

•**Herenbroek** gevraagd, van zwart leer, jeansmodel, maat 48/50 of 32 inch Amerikaanse maat. 020-6831825

•**Kleding** gevraagd, gedragen, voor onze vrienden in Polen, we halen het graag bij op. 020-6695614

•**Kort leren jack** gevraagd, zwart, maat 52 (medium9 en zwart leren vest, zelfde maat, nieuw of in nieuwstaat, redelijke prijs. 020-6105206

•**Kostuums** gevraagd en/of colberts, maat 54 tot en met 56, lengte 1.77 meter, ook overhemden, maat 43, wie o wie. 020-6636170 (antwoordapparaat)

•**Regenjas**, eentje die in zeer goede staat is, kleurig en modieus, waterdicht. 020-6390727

•**Showkleding** gevraagd. Op mijn school wil ik een show doen met kinderen van ca. 12 jaar. Daarvoor zoek ik allerlei soorten showkleding. Wie o wie? 020-6967188

•**Westernkleding** gevraagd, ook holster met geweren, maat maakt niet uit. 02946-4500

•**Winkelkledingrek** gevraagd (klein), liefst op wieltjes, prijs nader overeen te komen. 020-6738678

•Vrouw, (20-30), ben je uitgekeken op je **zomerkleren**? Man moet meisjeskleren dragen van zijn vriendin en zoekt daarom wijde of strakke zomerjurken, minirokjes, hotpants, bloesjes, badpakken. Natuurlijk betaal ik je ervoor. Br.Nr. 7023

Uit: *ViaVia*, 8 december 1994.

de kleding aanbieden de accessoires

## B 4 Bij de kleermaker

*Ulla Svensson* Kunt u deze broek veranderen?
*kleermaker* Wat is het probleem, mevrouw?
*Ulla Svensson* Hij is te wijd.
*kleermaker* O, dus ik moet hem innemen?
5 *Ulla Svensson* Innemen? Zeg je dat zo in het Nederlands?
*kleermaker* Ja, hij is toch te wijd? Hoeveel moet ik hem innemen?
*Ulla Svensson* Nou, ik weet het niet precies.
10 Ongeveer zo'n stukje, denk ik.
*kleermaker* Vijf centimeter?
*Ulla Svensson* Zoiets, ja.
*kleermaker* Ik zal het even meten. Hè, waar ligt dat ding nou?
15 *Ulla Svensson* Wat zoekt u?
*kleermaker* Ah, mijn centimeter. Ah, hier heb ik hem. Ja, vijf, zes centimeter.
*Ulla Svensson* Wanneer is hij klaar?
20 *kleermaker* Morgen. Of liever gezegd morgenmiddag.
*Ulla Svensson* Kan het niet eerder?
*kleermaker* Nee, dat lukt niet.
*Ulla Svensson* O, dan moet ik iemand anders
25 vragen. Mijn vriend komt hem morgenmiddag halen.
*kleermaker* Uitstekend, mevrouw.

de kleermaker
veranderen
het probleem
wijd
dus
innemen
toch
precies
ongeveer
de centimeter
meten
liggen
klaar
liever gezegd
morgenmiddag
eerder
lukken
– het lukt
iemand anders

## Vragen hoe je iets zegt

**Hoe zeg je dat (in het Nederlands)?**
– Eh … koffie… en dan geen suiker en melk, hoe zeg je dat in het Nederlands?
– Zwarte koffie.

**Zeg je dat zo (in het Nederlands)?**
– Moet ik de broek innemen?
– Innemen? Zeg je dat zo in het Nederlands?

## Omschrijven

**Zo ...**
- Moet ik de broek innemen?
- Innemen? Zeg je dat zo in het Nederlands?

- Vind je de kabeljauw nu lekkerder, met wat meer zout?
- Ja, zo vind ik het heerlijk.

**Zo'n ...**
- Hoe ziet de broek eruit?
- Gewoon, zwart, met zo'n plooi.

- Hoeveel moet ik hem innemen?
- Ongeveer zo'n stukje, denk ik.

**(Zo)iets**
- Vijf centimeter?
- Zoiets, ja.

**Een ding**
- Hè, waar ligt dat ding nu?
- Wat zoekt u?
- Mijn centimeter.

## Vragen naar grootte

**Hoe groot is ...?**
- Hoe groot is die broek?
- Nou, hij past je wel, denk ik.

**Hoe lang is ...?**
- En hoe lang is Astrid?
- Astrid is 1,72 meter.

## Lengtematen

Een kilometer = duizend meter
Een meter = tien decimeter
Een decimeter = tien centimeter
Een centimeter = tien millimeter

## Iets en iemand

1 *Bij dingen:* **iets**

- Wil je iets drinken?
- Ja, graag.

- Anders nog iets?
- Nee, dank u.

2 *Bij personen:* **iemand**

- Heeft iemand misschien mijn centimeter?
- Ja, ik.

- Kunt u uw broek morgenmiddag halen?
- Nee, dan moet ik iemand anders vragen.

## C 5 In een hakkenbar

| | | |
|---|---|---|
| | *Tilly Andringa* | Kunt u deze schoenen repareren? |
| | *schoenmaker* | Ja, wat mankeert eraan? |
| | *Tilly Andringa* | Nou, kijk, de hakken zijn kapot. |
| | *schoenmaker* | De hakken? U zult de zolen bedoelen, denk ik. |
| 5 | *Tilly Andringa* | Ja, zei ik hakken? Nee, ik bedoel de zolen. |
| | *schoenmaker* | Wilt u ook nieuwe hakken? |
| | *Tilly Andringa* | Nee, dat hoeft niet. |
| | *schoenmaker* | Zeker weten? |
| | *Tilly Andringa* | Nee, dank u, dat is echt niet nodig. |
| 10 | *schoenmaker* | Wilt u eh ... rubber of leer? |
| | *Tilly Andringa* | O, geen idee ... Wat is goedkoper? |
| | *schoenmaker* | Nou, rubber is iets goedkoper. Zal ik rubber doen? |
| | *Tilly Andringa* | Goed. Hoe lang duurt het? |
| | *schoenmaker* | Een uurtje, ongeveer. |
| 15 | *Tilly Andringa* | Nou, tot straks dan. |
| | *schoenmaker* | Dag mevrouw. |

№ 66578
25 FEB. 1995

| KLAAR | Di. | Wo. | Do. | Vr. | Za. |
|---|---|---|---|---|---|

| | | |
|---|---|---|
| | Langer/Breder | f |
| x | Zolen/~~Leer~~/Rubber | f 37,28 |
| | Zolen/Bescherm- | f |
| x | Hakken | f 16,80 |
| | Balst./Teenst. | f |
| | Voering/Stikwerk | f |
| | Inplakzolen | f |
| | | f |
| | | f |
| | TOTAAL F incl. B.T.W. | 54,08 |

| | | | |
|---|---|---|---|
| de hakkenbar | kapot | het is (niet) nodig | hoe lang |
| repareren | de zool | het rubber | duren |
| de schoenmaker | nieuw | het leer | tot straks |
| wat mankeert eraan? | dat hoeft niet | de/het idee | |
| de hak | zeker weten | – geen idee | |

## Corrigeren wat je zegt

**Nee, ik bedoel …**

- Uw zolen zijn kapot, niet uw hakken.
- Zei ik hakken? Nee, ik bedoel de zolen.

- Ga je mee naar Lucy en Stephan?
- Nou… liever niet. Ik bedoel, ik heb eigenlijk geen zin.

**… (of) liever gezegd …**

- Wat wil je drinken?
- Iets fris graag. Liever gezegd gewoon water.

- Wanneer is de broek klaar?
- Morgen. Of liever gezegd morgenmiddag.

## Iets niet weten

**Ik weet het niet.**

- Hoeveel moet ik de broek innemen?
- Nou, ik weet het niet precies.

**Dat weet ik niet.**

- Kun je morgen niet iets eerder komen?
- Dat weet ik niet.

**Geen idee.**
*(informeel)*

- Wilt u rubber of leer?
- O, geen idee. Wat is goedkoper?

## Ontkenning (4): niet

### Let op de plaats van *niet*

1 *Na een lijdend voorwerp*

- Hebt u mijn broek?
- Nee, ik zie hem niet.

- Heb jij de kaartjes?
- Nee, ik heb de kaartjes niet.

2 *Vóór een bijwoord*

- Hoeveel moet ik de broek innemen?
- Nou, ik weet het niet precies.

- Kan ik de broek niet eerder halen?
- Nee.

## D 6 Lingerie en lachen

Niet in een winkel, maar gewoon thuis met je vriendinnen of collega's ondergoed passen. Dat doen steeds meer vrouwen. Ze nodigen dan iemand uit die lingerie aan huis verkoopt. Marjolein Meijers is zo iemand. Alles heeft ze: broekjes, beha's, body's. Als ze alles heeft laten zien, kunnen de vrouwen gaan passen. Dat betekent: gordijnen dicht, mannen de deur uit. En veel lachen.
'De meeste vrouwen gaan gewoon in de huiskamer uit de kleren. Sommigen gaan toch liever even naar boven. Die komen dan weer in een mooie body binnen, want ze willen laten zien hoe mooi ze zijn.' Marjolein ziet meteen wat iemand wel of niet staat. Dat zegt ze ook, heel vriendelijk. Soms pakt ze een heel andere kleur, bruin voor een blondine bijvoorbeeld. Natuurlijk hoopt Marjolein ook dat ze zo'n avond veel verkoopt. Het is haar werk.

Naar: Lingerie en lachen, *HET op Zondag*, 18 september 1994.

de lingerie
lachen
aan huis
de collega
het ondergoed
de vrouw
de beha
de body
het gordijn
de man
uit de kleren gaan
sommige
binnen
want
dat
meteen
het staat goed/mooi/...
vriendelijk
soms
pakken
de kleur
bruin
de blondine
bijvoorbeeld
hopen

D 7

## Het Leger des Heils

Heb je oude kleren over die je toch nooit meer draagt? Breng ze naar het Leger des Heils! Het Leger des Heils wil alles graag hebben. Een trui die te klein is of een oude mantel van je oma. Ook een blouse die geen knopen meer heeft, kun je geven. Leg je kleren eens op tafel en kijk welke dingen weg kunnen. Het Leger des Heils maakt er weer iets moois van en verkoopt het voor weinig geld. Als je zelf weinig geld hebt, kun je eens in de kledingwinkel gaan kijken. Je hebt soms al voor *f* 15,– een mooi colbert of een regenjas. Zoek daarom nu vlug het adres van het Leger des Heils in jouw woonplaats en ga op weg!

| | | | |
|---|---|---|---|
| oud | de mantel | leggen | vlug |
| over | de oma | zelf | op weg gaan |
| nooit | de knoop | daarom | |

## E 8 Uit de Gouden Gids

236 Kleding (vervolg)

E BEL GRATIS 06-0013 ZIE VOOR IN DE GIDS

### Kledingreparaties

**Berge Henegouwen Rob van**
Erasmusln 83,
2343 JW OEGSTGEEST .......... 071- 17 29 48
**Bundy**, Achter Nieuwstr 5,
2411 EN BODEGRAVEN ........ 01726- 1 23 24
**Coutura Kleding Service**
Sweilandstr 39,
2361 JB WARMOND .......... 01711- 1 08 08

**Diamant Schaar**, Breestr 13,
2311 CG LEIDEN ............... 071- 14 20 18
**Dry Cleaning Special**
Vrye Nesse 128,
2411 GS BODEGRAVEN ........ 01726- 1 23 80
**Gouden Knoop De**
Herenstr 43e,
2313 AE LEIDEN ............... 071- 14 14 39
fil Breestr 7,
2311 CG LEIDEN ............... 071- 12 83 68

**GOUDEN SCHAAR**
K Rapenburg 13,
2311 GC LEIDEN ............... 071- 13 28 00

**GRIJZE SCHAAR DE**
Havenstr 82,
2211 EJ NOORDWYKERHOUT ... 02523- 7 07 27

**Ilonka Naaiatelier**
*alle verstelwerken gordijnen*
Brederodestr 20,
2406 XS
ALPHEN AAN DEN RYN ........ 01720- 2 68 64

**LEERLOOIER DE**
Uitsluitend leder-reparatie en verandering
VOOR ALS HET ECHT MOOI MOET
Beresteinln 165,
2542 JD S GRAVENHAGE ........ 070-329 60 65

**Oskam I**, Brugstr 7a,
2411 BM BODEGRAVEN ....... 01726- 1 11 53

**PALTHE STOMERIJ**
Breestr 128,
2311 CX LEIDEN ............... 071- 12 58 85

**SABIRE**
KLEDING-, BONT- EN LEERREPARATIES
*Ook kleding op maat maken*
Breestr 23,
2311 CH LEIDEN ............... 071- 13 49 40

**VERSTELHUISJE HET**
REPARATIE - VERSTELWERK VOOR PARTICULIEREN
BEDRIJVEN & BOETIEKS. OOK LEER & SUÈDE
OOK MAKEN WIJ NIEUWE KLEDING
NAAR EIGEN KEUS !!!
Havenstr 16,
3441 BJ WOERDEN .......... 03480- 2 07 36

**Verstella**, Ryn en Schiekd 121,
2311 AT LEIDEN ............... 071- 14 35 13

### Kleermakerijen

**BERGE HENEGOUWEN ROB VAN**
Maatkleding voor dames & heren in:
Stof, leder en bont. Tevens herstelwerk
Erasmusln 83,
2343 JW OEGSTGEEST .......... 071- 17 29 48

**BOOT & THEUNISSEN KLEERMAKERIJ**
DAMES- EN HERENMAATKLEDING
VOOR PERSOONLIJKE WENSEN
Heerewg 137,
2161 BA LISSE ............... 02521- 1 35 32

**COUTURA KLEDING SERVICE**
Sweilandstr 39,
2361 JB WARMOND .......... 01711- 1 08 08

**GOUDEN KNOOP DE**
DAMES- EN HERENMAATKLEDING
*Tevens kledinreparaties*
Herenstr 43e,
2313 AE LEIDEN ............... 071- 14 14 39
fil: Breestr 7,
2311 CG LEIDEN ............... 071- 12 83 68

**Kivits**, Industriekd 26,
2172 HV SASSENHEIM ........ 02522- 1 70 99
2172 HV SASSENHEIM ........ 02522- 1 70 99
**Kivits J A**, Lockhorstln 5,
2361 JH WARMOND .......... 01711- 1 02 48

**LE FIL D'OR**
Uw exclusieve kleding op maat gemaakt
*o.a. Gespec. in avondkleding & veranderingen*
Leidsewg 48,
2251 LC VOORSCHOTEN ........ 071- 61 27 37

**OLLIE'S**
HAUTE-COUTURE OP MAAT
Watertje 40,
2381 EJ ZOETERWOUDE ...... 01715- 23 15

**POELMAN BERNARD**
MEER DAN 50 JAAR
*Dames- en herenmaatkleding*
*Kleine produkties bedrijfskleding*
GESPECIALISEERD IN TOGA'S
L Poten 19,
2511 CM S GRAVENHAGE ....... 070-346 17 42

**Seppen T M H**
Bloemhofstr 34,
2406 BS ALPHEN A/D RIJN ..... 01720- 9 49 78

Uit: *Gouden Gids.* Leiden e.o. 1994.

## E 9 Een oude sok...

Wat doe je in een oude sok? In Nederland doen de meeste mensen er geld in. Maar in Brisbane, Nieuw-Zeeland, doet iemand er kleine hondjes in en hangt ze aan de waslijn. De negen hondjes die je op de foto ziet, zijn vijf weken oud. Het zijn Jack-Russell-terriërs.

Naar: *NRC-Handelsblad,* 7 oktober 1994.

# 7 Bent u hier bekend?

## A 1 Op straat

| | | |
|---|---|---|
| | *Janneke Lamar* | Pardon mevrouw, mag ik u iets vragen? |
| | *Cora Addicks* | Ja hoor. |
| | *Janneke Lamar* | Weet u waar de Karnemelkstraat is? |
| | *Cora Addicks* | Nee mevrouw, het spijt me. Ik woon hier niet. |
| 5 | *Janneke Lamar* | O, jammer. |
| | | |
| | *Janneke Lamar* | Pardon meneer, bent u hier bekend? |
| | *Bertus Venema* | Ja. |
| | *Janneke Lamar* | Ik zoek de Karnemelkstraat. |
| 10 | *Bertus Venema* | De Karnemelkstraat, eens even kijken. |
| | *Janneke Lamar* | Het moet hier ergens in de buurt zijn. |
| | *Bertus Venema* | Ja, u loopt hier rechtdoor tot de hoek van deze straat. Ziet u de stoplichten daar? |
| | *Janneke Lamar* | Ja. |
| 15 | *Bertus Venema* | Bij de stoplichten steekt u over. U gaat linksaf. En dan is het de eerste straat aan uw rechterhand. |
| | *Janneke Lamar* | Dus tot aan de stoplichten rechtdoor. Oversteken, linksaf en dan de eerste straat rechts? |
| | *Bertus Venema* | Precies. |
| 20 | *Janneke Lamar* | Dank u wel, meneer. |
| | *Bertus Venema* | Graag gedaan. |

| | |
|---|---|
| het spijt me | het stoplicht |
| bekend | oversteken |
| eens even kijken | graag gedaan |
| de hoek | |

### Iemand aanspreken

**Pardon mevrouw/meneer, ...**

- Pardon mevrouw, mag ik u iets vragen?
- Ja hoor.

- Pardon meneer, bent u hier bekend?
- Ja.

**(Dag) mevrouw/meneer, ...**

- Mevrouw, wat kost een broodje ham?
- *f* 2,25.

- Dag meneer, kunt u mij helpen?
- Natuurlijk.

## De weg vragen

**Weet u waar ... is?**
- Weet u waar de Karnemelkstraat is?
- Nee mevrouw, het spijt me. Ik woon hier niet.

**Bent u hier bekend?**
- Pardon meneer, bent u hier bekend? Ik zoek de Karnemelkstraat.
- De Karnemelkstraat, eens even kijken.

**Waar is ...?**
- Dag mevrouw, waar is de bioscoop?
- Hier meteen rechtsaf en dan zie je de bioscoop aan je rechterhand.

## De weg wijzen

**U gaat ... rechtdoor**
**linksaf**
**rechtsaf**

- Pardon, weet u hier in de buurt een hakkenbar?
- Ja hoor. U gaat hier links, en dan meteen weer de eerste rechts. U loopt rechtdoor en dan ziet u aan de linkerkant een hakkenbar.

**U gaat/loopt tot ...**

**(Het/Dat is) aan uw linker-/rechterhand**
**aan de linker-/rechterkant**

- Dag meneer, waar is de Karnemelkstraat?
- U gaat hier rechtdoor tot aan de stoplichten. Bij de stoplichten steekt u over. U gaat linksaf. En dan is het de eerste straat aan uw rechterhand.

## Oriëntatie

## B 2 Op het station

*David Snoek* Retour Haarlem, alstublieft.
*lokettist* Waarnaartoe, Arnhem?
*David Snoek* Nee, Haarlem.
*lokettist* *f* 20,25, alstublieft.
*David Snoek* Hoe laat gaat de trein naar Haarlem?
*lokettist* Elk half uur, om kwart voor en kwart over.
*David Snoek* Elk half uur, zegt u?
*lokettist* Ja, om kwart voor en kwart over.
*David Snoek* Dus de volgende trein is om kwart voor tien?
*lokettist* Ja, maar die haalt u niet meer. U moet wachten tot kwart over tien.
*David Snoek* En van welk spoor vertrekt de trein?
*lokettist* Spoor zeven A.
*David Snoek* Van welk spoor?
*lokettist* Spoor zeven A.
*David Snoek* Dank u wel.
*lokettist* Tot uw dienst, meneer.

het station
het retour
de lokettist
de trein
elk half uur
kwart voor
kwart over
het spoor
vertrekken

## Controlevragen stellen

**Dus ...**
– Dus u wilt kaartjes voor de film van half tien?
– Ja, graag.

**..., klopt dat?**
– Morgenavond komt Lucy bij ons, klopt dat?
– Ja, om negen uur.

*Herhaling met vragende intonatie:*

– We hebben broodjes ham, kaas, lever, salami, ei en kroket.
– Ook lever, zegt u?

– De trein naar Haarlem vertrekt elk half uur.
– Elk half uur, zegt u?

*Vraag met accent op het vraagwoord:*

– Retour Haarlem, alstublieft.
– **Waar**naartoe?

– De trein vertrekt van spoor zeven A.
– Van **welk** spoor?

## Reactie op bedanken

**Graag gedaan.**
– Dank u wel, meneer.
– Graag gedaan.

– Dank u wel voor de mooie muziek.
– Nou, graag gedaan.

**Tot uw dienst.** *(formeel)*
– Dank u wel.
– Tot uw dienst, meneer.

– Bedankt voor de adressen.
– Tot uw dienst, mevrouw.

## Waarnaartoe en waarheen

**Waarnaartoe?**
– Waar ga je vanavond naartoe?
– Naar vrienden.
– Waarnaartoe?
– Naar vrienden in Rotterdam.

**Waarheen?**
– Waar zullen we dit weekend heen gaan?
– Wat denk je van Leiden?
– Waarheen, zeg je?
– Leiden.

## De klok

4.00 uur: vier uur.
4.05 uur: vijf over vier.
4.10 uur: tien over vier.

4.15 uur: kwart over vier.
4.20 uur: tien voor half vijf.
4.25 uur: vijf voor half vijf.

4.30 uur: half vijf.
4.35 uur: vijf over half vijf.
4.40 uur: tien over half vijf.

4.45 uur: kwart voor vijf.
4.50 uur: tien voor vijf.
4.55 uur: vijf voor vijf.

Een dag heeft 24 uur. Een uur heeft vier kwartier. Een half uur heeft dertig minuten. Een minuut heeft zestig seconden.

## Vragen naar de tijd en reactie

**Hoe laat is het?**
– Hoe laat is het?
– Het is kwart over vier.

**Hoe laat ...?**
– Hoe laat kom je vanavond?
– Om half tien.

*reactie*

**(Het is) ...**
– Hoe laat is het eigenlijk?
– Tien voor negen.

**Om ...**
– Hoe laat kom je vanmiddag?
– Om drie uur, okee?

## C 3 In de tram

*controleur* Meneer, mag ik even uw plaatsbewijs zien?
*Jacques Pilot* Wat zegt u?
*controleur* Uw plaatsbewijs, uw kaartje.
*Jacques Pilot* Moment ..., alstublieft.
5 *controleur* Dank u wel. Waar bent u ingestapt?
*Jacques Pilot* In Slotermeer.
*controleur* En u gaat naar het Centraal Station?
*Jacques Pilot* Ja.
*controleur* Dan heeft u een zone te weinig
10 gestempeld.
*Jacques Pilot* Neemt u me niet kwalijk, maar wat bedoelt u?
*controleur* Van Slotermeer naar het Centraal Station is twee zones.
15 *Jacques Pilot* Dat is toch één zone?
*controleur* Nee meneer, twee zones. En u heeft maar één zone afgestempeld.
*Jacques Pilot* O sorry, dan zal ik er nog een
20 zone bij doen.
*controleur* Nee, nu bent u te laat. U moet *f* 60,– betalen.
*Jacques Pilot* *f* 60,–? Dat heb ik niet bij me.
*controleur* Kunt u zich legitimeren?
25 *Jacques Pilot* Ik heb een rijbewijs bij me.
*controleur* Mag ik dat even zien?
*Jacques Pilot* Alstublieft.
*controleur* Dank u wel. Met dit formulier moet u binnen een week *f* 60,–
30 betalen.
*Jacques Pilot* Binnen een week?
*controleur* Ja, anders kost het u *f* 90,–.
*Jacques Pilot* Waar moet ik dat betalen?
*controleur* Kijk, hier staat het adres.
35 *Jacques Pilot* Nou, vooruit dan maar.

| | | | |
|---|---|---|---|
| de tram | de zone | betalen | het formulier |
| de controleur | (af)stempelen | bij zich hebben | binnen (een week) |
| het plaatsbewijs | kwalijk nemen | zich legitimeren | vooruit dan maar |
| moment | erbij doen | het rijbewijs | |

## Zich excuseren

| | |
|---|---|
| **(O), pardon.** | – Meneer, mag ik uw kaartje nog even zien?<br>– O pardon, alstublieft. |
| **(O), sorry.** | – U moet twee zones afstempelen.<br>– Sorry, dan zal ik er nog een zone bij doen. |
| **Neemt u me niet kwalijk.** | – Dan hebt u een zone te weinig gestempeld.<br>– Neemt u me niet kwalijk, maar wat bedoelt u? |
| **Het spijt me.** | – Weet u waar de Karnemelkstraat is?<br>– Nee, mevrouw, het spijt me. Ik woon hier niet. |

## De voltooid tegenwoordige tijd

### Hebben/zijn + voltooid deelwoord

| | |
|---|---|
| *lukken* | Is het gelukt? Ja hoor. |
| *repareren* | Heeft u mijn schoenen al gerepareerd? |
| *stempelen* | U hebt een zone te weinig gestempeld, meneer. |

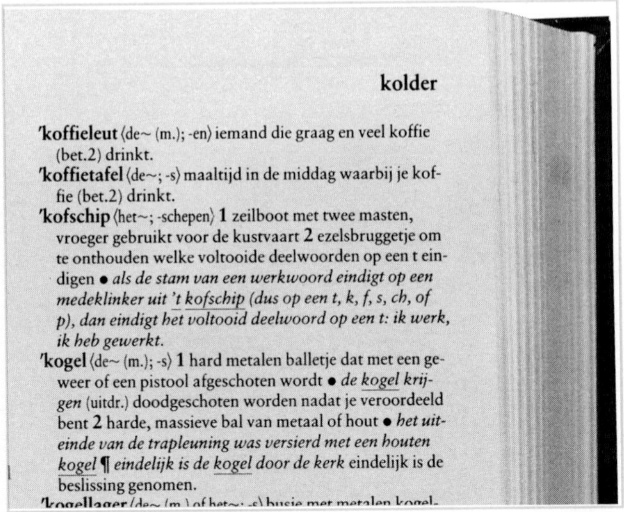

*a Regelmatige werkwoorden*

Het voltooid deelwoord: **ge + stam + t/d**
(stam = 1e persoon enkelvoud)

ge + stam + **t**: als de stam eindigt op **t, k, f, s, ch, p** ('**t** **k**o**f**s**ch**i**p**)
ge + stam + **d**: in de andere gevallen

**kolder**

**'koffieleut** ⟨de~ (m.); -en⟩ iemand die graag en veel koffie (bet.2) drinkt.
**'koffietafel** ⟨de~; -s⟩ maaltijd in de middag waarbij je koffie (bet.2) drinkt.
**'kofschip** ⟨het~; -schepen⟩ **1** zeilboot met twee masten, vroeger gebruikt voor de kustvaart **2** ezelsbruggetje om te onthouden welke voltooide deelwoorden op een t eindigen • *als de stam van een werkwoord eindigt op een medeklinker uit 't kofschip (dus op een t, k, f, s, ch, of p), dan eindigt het voltooid deelwoord op een t: ik werk, ik heb gewerkt.*
**'kogel** ⟨de~ (m.); -s⟩ **1** hard metalen balletje dat met een geweer of een pistool afgeschoten wordt • *de kogel krijgen* (uitdr.) doodgeschoten worden nadat je veroordeeld bent **2** harde, massieve bal van metaal of hout • *het uiteinde van de trapleuning was versierd met een houten kogel* ¶ *eindelijk is de kogel door de kerk* eindelijk is de beslissing genomen.

| | *maken* | *passen* | *hopen* | *leren* | *halen* |
|---|---|---|---|---|---|
| *stam* | maa**k** | pa**s** | hoo**p** | lee**r** | haa**l** |
| *deelwoord* | **ge**maak**t** | **ge**pas**t** | **ge**hoop**t** | **ge**leer**d** | **ge**haal**d** |

*b Onregelmatige werkwoorden*

Zie appendix 3; deze werkwoorden moet u uit uw hoofd leren!

**We gebruiken de voltooid tegenwoordige tijd bij het vertellen over handelingen en gebeurtenissen uit het verleden.**

– Wat ben je laat!
– Ja, sorry. We zijn vanmorgen naar Rotterdam geweest.
– O, wat leuk. Wat heb je gedaan?
– We zijn bij Olga en Daan geweest, in hun nieuwe huis. Later zijn we nog even de stad in gegaan. Ik heb een nieuwe spijkerbroek gekocht en we hebben nog snel een kopje koffie bij café Bos gedronken.

## Woordvolgorde (4)

**Let op de plaats van het *voltooid deelwoord***

| | *Persoonsvorm* | | | *Voltooid deelwoord* |
|---|---|---|---|---|
| | Heb | je | al koffie | gedronken? |
| | Is | de les | al | begonnen? |
| U | hebt | | een zone te weinig | afgestempeld. |
| We | zijn | | naar Rotterdam | geweest. |

## Het wederkerend voornaamwoord

**zich legitimeren**

| | | | |
|---|---|---|---|
| **1** | Ik | legitimeer | **me** |
| **2** | Je | legitimeert | **je** |
| | U | legitimeert | **u/zich** |
| **3** | Hij | legitimeert | **zich** |
| | Ze | legitimeert | **zich** |
| **1** | We | legitimeren | **ons** |
| **2** | Jullie | legitimeren | **je** |
| | U | legitimeert | **zich** |
| **3** | Ze | legitimeren | **zich** |

**zich voorstellen**
- Sorry, heb ik me eigenlijk al voorgesteld?
- Nee, hoe heet je?

**zich legitimeren**
- Kunt u zich legitimeren?
- Ik heb een rijbewijs bij me.

**zich interesseren voor**
- Interesseer je je voor politiek?
- Nee, niet echt. Jij?

## D 4 Interrail

Houd je van reizen? Wil je al heel lang naar het Picassomuseum in Parijs? Op een terrasje zitten in het centrum van Warschau? Of gewoon lekker naar je
5 vrienden in Marokko? Dan is de Interrailkaart van de NS misschien iets voor jou.
Met deze kaart kun je een maand lang door Europa reizen voor *f* 695,–. Maar

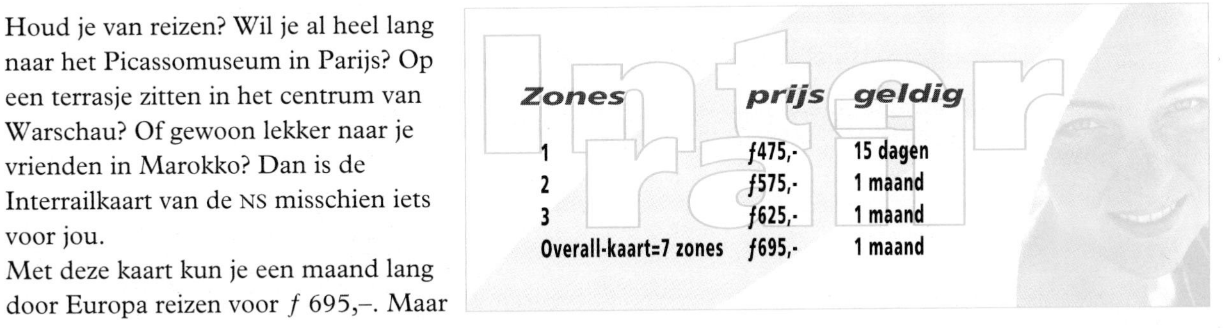


| *Zones* | *prijs* | *geldig* |
|---|---|---|
| 1 | *f*475,- | 15 dagen |
| 2 | *f*575,- | 1 maand |
| 3 | *f*625,- | 1 maand |
| Overall-kaart=7 zones | *f*695,- | 1 maand |

10 je kunt ook korter gaan en door minder landen reizen. Je kunt overal stoppen. Bij de Interrailkaart is Europa verdeeld in zeven zones. Je kiest zelf welke zones je wilt en hoeveel. Interrail is voor alle 15 jongeren tot en met 25 jaar.

Naar: NS Folder *Interrail* 1994.

| | | | |
|---|---|---|---|
| reizen | verdelen | alle | tot en met |
| het centrum | stoppen | de jongere | geldig |

D

## 5 Hoeveel is te veel?

Als je soms een beetje alcohol gebruikt, is er niets aan de hand. Maar te veel is niet goed. De vraag is: waar ligt de grens? Men zegt 5 wel: drink niet meer dan een paar keer per week. Drink nooit meer dan twee à drie glazen per keer. Als je weet dat alcohol een probleem voor je is, kun je beter 10 helemaal niet drinken. Ook als je medicijnen gebruikt, moet je het glaasje laten staan. Je kunt ook beter niet aan alcohol beginnen als je moet rijden, sporten, werken of 15 studeren.
Per jaar zijn er zo'n 34.000 mensen met 'te veel op' die toch rijden. Die spelen met hun leven. Elk jaar kost dat zo'n 2500 mensen het leven. 20 Na een feestje kun je daarom beter de bus of de trein nemen. Of bij iemand slapen en de volgende dag naar huis gaan. Want: 'glaasje op, laat je rijden.'

Naar: *Do you know, do you care?* Ministerie van WVC, oktober 1994.

| | | | |
|---|---|---|---|
| gebruiken | de grens | rijden | het leven kosten |
| niets | men | studeren | na |
| aan de hand zijn | het medicijn | te veel op hebben | de bus |
| de vraag | beginnen | spelen | slapen |

E

## 6 Dienstregeling

**LIJN 125a** van UTRECHT naar HAARLEM via AMSTELVEEN

**ZATERDAG** V = vertrek A = aankomst

| plaats en halte | ritnr. | 00020 | 00030 | 00040 | 00050 | 00060 | 00070 | 00080 | 00090 | 00100 |
|---|---|---|---|---|---|---|---|---|---|---|
| **UTRECHT, Streekbusstation** | V | | 7 54 | 8 54 | 9 54 | 10 54 | 11 54 | 12 54 | 13 54 | 14 54 |
| Abcoude, Viadukt | | | 8 19 | 9 19 | 10 19 | 11 19 | 12 19 | 13 19 | 14 19 | 15 19 |
| Ouderkerk, Korte Dwarsweg | | 7 26 | 8 26 | 9 26 | 10 26 | 11 26 | 12 26 | 13 26 | 14 26 | 15 26 |
| Ouderkerk, Brug/Hoger Einde | | 7 28 | 8 28 | 9 28 | 10 28 | 11 28 | 12 28 | 13 28 | 14 28 | 15 28 |
| Amstelveen, Oranjebaan | | 7 33 | 8 33 | 9 33 | 10 33 | 11 33 | 12 33 | 13 33 | 14 33 | 15 33 |
| **Amstelveen,** Plein 1960 | | 7 36 | 8 36 | 9 36 | 10 36 | 11 36 | 12 36 | 13 36 | 14 36 | 15 36 |
| Amsterdam, De Boelelaan | | 7 44 | 8 45 | 9 45 | 10 45 | 11 45 | 12 45 | 13 45 | 14 45 | 15 45 |
| Haarlem, Tempeliersstraat | | 8 05 | 9 09 | 10 09 | 11 09 | 12 09 | 13 09 | 14 09 | 15 09 | 16 09 |
| **HAARLEM, Station NS** | A | 8 11 | 9 17 | 10 17 | 11 17 | 12 17 | 13 17 | 14 17 | 15 17 | 16 17 |

| plaats en halte | ritnr. | 00110 | 00130 | 00150 | 00170 | 00180 | 00190 | 00200 | 00210 | |
|---|---|---|---|---|---|---|---|---|---|---|
| **UTRECHT, Streekbusstation** | V | 15 54 | 16 54 | 17 54 | 18 42 | 19 42 | 20 42 | 21 42 | 22 42 | |
| Abcoude, Viadukt | | 16 19 | 17 19 | 18 19 | 19 05 | 20 05 | 21 05 | 22 05 | 23 05 | |
| Ouderkerk, Korte Dwarsweg | | 16 26 | 17 26 | 18 26 | 19 11 | 20 11 | 21 11 | 22 11 | 23 11 | |
| Ouderkerk, Brug/Hoger Einde | | 16 28 | 17 28 | 18 28 | 19 13 | 20 13 | 21 13 | 22 13 | 23 13 | |
| Amstelveen, Oranjebaan | | 16 33 | 17 33 | 18 33 | 19 18 | 20 18 | 21 18 | 22 18 | 23 18 | |
| **Amstelveen,** Plein 1960 | | 16 36 | 17 36 | 18 36 | 19 21 | 20 21 | 21 21 | 22 21 | 23 21 | |
| Amsterdam, De Boelelaan | | 16 45 | 17 45 | 18 44 | 19 29 | 20 29 | 21 29 | 22 29 | 23 29 | |
| Haarlem, Tempeliersstraat | | 17 09 | 18 09 | 19 05 | 19 50 | 20 50 | 21 50 | 22 50 | | |
| **HAARLEM, Station NS** | A | 17 17 | 18 17 | 19 11 | 19 56 | 20 56 | 21 56 | 22 56 | | |

**Stopt in Utrecht alleen op de halte's D.Dekkerstraat, Spinozaweg en Lage Weide.**
**De halte Abcoude Viadukt wordt alleen aangedaan op verzoek.**

ZATERDAG

Dit is de dienstregeling van lijn 125a op zaterdag.
Lijn 125a is een busdienst tussen Utrecht en Haarlem.
De bus vertrekt vanaf het streekbus-station in Utrecht.
Het eindpunt is Haarlem, station NS.
Op zaterdag gaat de bus één keer per uur.
De eerste bus vertrekt 's morgens om 7.26 uur uit Ouderkerk.
De laatste bus vertrekt 's avonds om 22.42 uur uit Utrecht.

# E 7 Waar kan ik heen

## België (Is er leven op Pluto...)

Waar kan ik heen, ik kan niet naar Duitsland,
ik kan niet naar Duitsland, daar zijn ze zo streng.
Waar kan ik heen, ik kan niet naar Chili,
ik kan niet naar Chili, daar doen ze zo eng.
Ik wil niet wonen in Koeweit,
want Koeweit, dat is me te heet.
En wat Amerika betreft,
dat land bestaat niet echt.

Waar kan ik heen, ik wil niet naar Noord-Ierland,
niet naar Noord-Ierland, daar gaat alles stuk.
Waar kan ik heen, ik kan niet naar China,
ik wil niet naar China, dat is me te druk.
Ik wil niet wonen in Schotland,
want Schotland, dat is me te nat.
En de USSR
dat gaat me net te ver.

*Refrein:*
Is er leven op Pluto?
Kun je dansen op de maan?
Is er een plaats tussen de sterren
waar ik heen kan gaan? (2x)

Waar kan ik heen, ik kan niet naar Cuba,
ik wil niet naar Cuba, dat is me te zoet.
Waar kan ik heen, ik kan niet naar Polen,
ik wil niet naar Polen, daar gaat het te goed.
Ik wil niet wonen in Lapland,
want Lapland, dat is me te koud.
En ik wil weg uit Nederland,
want hier krijg ik het benauwd.

*Refrein*

Ik heb getwijfeld over België,
omdat iedereen daar lacht.
Ik heb getwijfeld over België,
want dat taaltje is zo zacht.
Ik stond zelfs in dubio,
maar ik nam geen enkel risico.
Ik heb getwijfeld over België.
België (4x)

*Refrein*

*Het Goede Doel*

Van de CD: *Het goede doel: 'België'*. Geproduceerd door Red Bullet Productions, door Robot Facilities/Robin Freeman

# 8 Met wie spreek ik?

A  1

## Bij de PTT

Louis Banza werkt op het postkantoor. Hij werkt aan de balie. Louis vertelt iets over zijn werk.
'Ik werk hier nu drie jaar. Ik vind het wel leuk werk. Het postkantoor is eigenlijk een winkel, hè? Dus je moet de mensen goed helpen, de klant is koning. Maar ik houd er ook wel van wat te praten met de mensen. Sommigen komen altijd naar mij, weet je. Gewoon even kletsen.
De mensen komen hier echt voor alles. Wat ik het meeste doe? Postzegels en telefoonkaarten verkopen. Veel mensen komen ook met vragen: "Ik wil deze brief aangetekend versturen. Hoeveel kost dat?" of "Deze ansichtkaart moet naar Kenia. Hoeveel porto moet erop?". Nou, dat kan ik ze dan vertellen.'

- het postkantoor
- de balie
- vertellen
- de klant
- de koning
- kletsen
- de postzegel
- de telefoonkaart
- de brief
- aangetekend
- versturen
- de ansichtkaart
- de porto
- erop

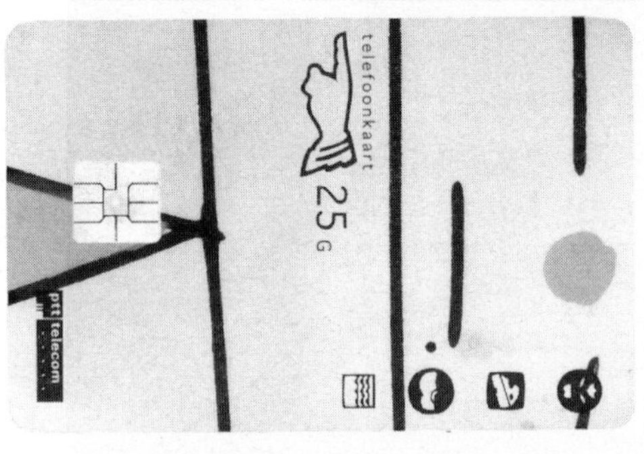

Lien Achterberg is postbode in Amsterdam. Ze is dit al 26 jaar.
'Veel mensen zeggen: "Je bent altijd buiten, heerlijk!". Maar in Nederland is het soms geen pretje. Toch vind ik het heerlijk werk. Ik vind het ook niet erg om alleen te werken. Ik werk natuurlijk in de stad, dus ik zie genoeg. Op straat komen veel mensen met vragen naar mij. "Pardon mevrouw, weet u hier in de buurt een brievenbus? En een telefooncel?". Buitenlanders hebben altijd vragen over onze brievenbussen. Je weet wel, links staat "streekpost" en rechts "overige bestemmingen". Nou, dan help ik ze even.
Mijn collega's zie ik vaak 's morgens of 's avonds op het postkantoor. Dan drinken we even een kopje koffie samen.'

- de postbode
- het is geen pretje
- de brievenbus
- de telefooncel
- de buitenlander
- de streekpost
- overig
- de bestemming

## A 2 Een pakje versturen

*mevrouw Vanberghe* Ik wil een pakje versturen naar België.
Wanneer komt het daar aan?
*lokettist* Eh ..., het is nu dinsdag, dat wordt donderdag
mevrouw.
*mevrouw Vanberghe* Dat is te laat. Kan het niet sneller?
*lokettist* Jawel, maar dan moet u het per expres versturen.
Dan is het er morgenmiddag.
*mevrouw Vanberghe* Hoeveel kost dat?
*lokettist* Even kijken, het pakje weegt 300 gram.
10 Dat kost *f* 11,– extra.
*mevrouw Vanberghe* Goed, doet u dat maar. Ik wilde u nog iets vragen.
Ik ga verhuizen. Kunt u mijn post doorsturen naar
mijn nieuwe adres?
*lokettist* Jazeker, dat kan. U moet een 'verhuisbericht'
15 invullen. De Post stuurt dan drie maanden
uw post door.
*mevrouw Vanberghe* Zou u mij zo'n formulier kunnen geven?
*lokettist* Ze liggen daar. U kunt ze zo pakken.
*mevrouw Vanberghe* Dank u wel.

| | |
|---|---|
| jawel | doorsturen |
| per expres | jazeker |
| verhuizen | het verhuisbericht |
| de post | invullen |

### Iemand vragen iets te doen

**Kun je ...?**

– Kun je mij dat boek even geven?
– Natuurlijk.

– Kunt u mijn post doorsturen?
– Jazeker, dat kan.

**Zou u ... kunnen/willen ...?**

– Zou je mij even willen helpen?
– Ja hoor.

– Zou u me een formulier kunnen geven?
– Ze liggen daar. U kunt ze zo pakken.

### 'Er' (1) en 'daar': plaats

Ik woon in Utrecht.
Daar woon ik ook. Ik woon er al tien jaar.

Dit pakje moet naar België. Wanneer is het daar?
Het is er donderdag.

Is Kees thuis?
Nee, die is er niet.

## B 3 Joan Appelhof belt op

*Jan Peter de Waard* Met Jan Peter de Waard.
*Joan Appelhof* Há, dag Jan Peter, met Joan Appelhof.
Is je moeder thuis?

*Jan Peter de Waard* Wacht even. Mam, telefoon voor je.
*mevrouw De Waard* Wilma de Waard.
*Joan Appelhof* Dag Wilma, met Joan.
*mevrouw De Waard* Ha, Joan.

| | |
|---|---|
| opbellen | de telefoon |
| de moeder | ha |

## B 4 Anna Mertens belt op

*Jan Veenstra* Met Veenstra.
*Anna Mertens* Met wie zegt u?
*Jan Veenstra* Met Veenstra.
*Anna Mertens* O, neemt u me niet kwalijk.
5 Dan heb ik een verkeerd nummer gedraaid.
*Jan Veenstra* Wie moet u hebben?
*Anna Mertens* Mariska Prins.
*Jan Veenstra* Ja, dat klopt. Die woont hier ook.
*Anna Mertens* Kan ik haar even spreken?
10 *Jan Veenstra* Ja hoor, ik zal haar even roepen.

| | |
|---|---|
| verkeerd | spreken |
| draaien | roepen |

## Telefoneren (A belt B op)

**B**
**(Met) …**
**(Met) mevrouw/meneer …**

**A**
**(…), met …**
**U spreekt met …**

**Kan ik … even spreken?**
**Is … thuis?**

*B* Met Sofie Veerman.
*A* Dag, met Sylvia Arzberg.
*B* Met wie?
*A* Met Sylvia Arzberg. Kan ik Jan Peter even spreken?
*B* Moment. Ik zal hem even roepen.

*B* Janneke Lamar.
*A* Je spreekt met David Snoek. Is Simon ook thuis?
*B* Nee, die is er niet.
*A* Okee, bedankt. Dag.
*B* Dag.

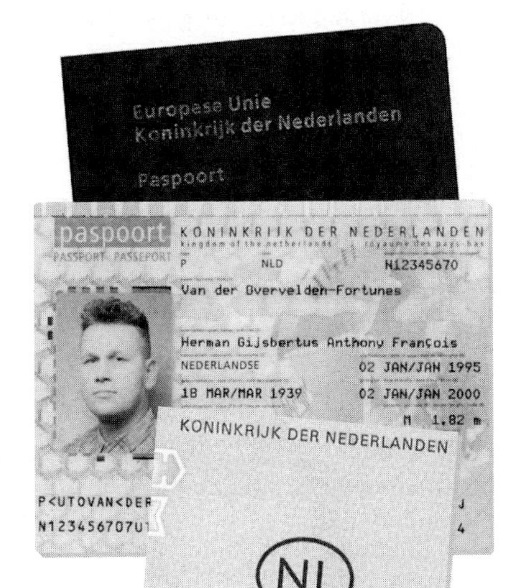


## C 5 Bij de bank

| | |
|---|---|
| *mevrouw Verhoog* | Goedemorgen. Ik wil graag *f* 250,– opnemen van mijn rekening. |
| *lokettist* | Goedemorgen. Hebt u hier een rekening? |
| *mevrouw Verhoog* | Nee, bij een ander filiaal. |
| 5 *lokettist* | Heeft u een legitimatie? |
| *mevrouw Verhoog* | Mijn betaalpasje, is dat goed? |
| *lokettist* | Nee, paspoort of rijbewijs graag. |
| *mevrouw Verhoog* | O, dat heb ik niet bij me. Kunt u het zo niet geven? |
| *lokettist* | Nee, dat gaat niet. |
| 10 *mevrouw Verhoog* | Wat vervelend. Ik wou ook nog voor *f* 500,– Engelse ponden. |
| *lokettist* | Dat kan. Dat zijn dan 150 Engelse ponden. Alstublieft. |
| *mevrouw Verhoog* | Dank u wel. |

| | | |
|---|---|---|
| de bank | het filiaal | het paspoort |
| opnemen | de legitimatie | vervelend |
| de rekening | de betaalpas | het Engelse pond |

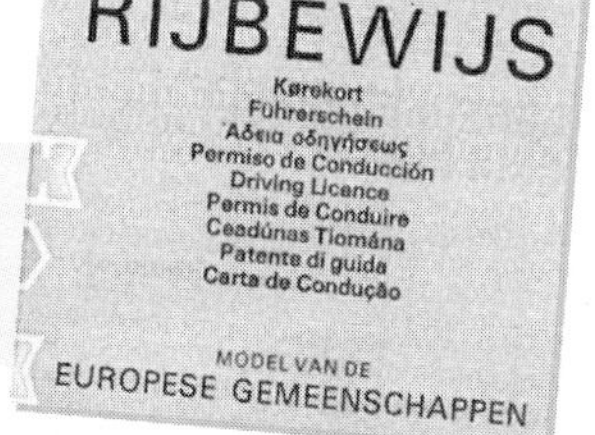

## C 6 Paula Burdova belt de Postbank op

*telefonist* Postbank, goedemorgen.
*Paula Burdova* Goedemorgen, u spreekt met mevrouw Burdova. Ik wilde iets vragen over vreemde valuta.
*telefonist* Dat kan. Ik verbind u door met de afdeling vreemde valuta.
5 *telefonist* Het toestel is in gesprek. Wilt u wachten of belt u terug?
*Paula Burdova* Eh… Ik wacht wel even.

*Bo van der Linden* Van der Linden.
*Paula Burdova* Ja, met mevrouw Burdova. Mag ik u wat vragen?
10 *Bo van der Linden* Jazeker mevrouw. Wat wilt u weten?
*Paula Burdova* Kunt u mij vertellen wat de koers van de dinar vandaag is?
*Bo van der Linden* Ja. U krijgt 100 dinar voor ƒ 0,02.
*Paula Burdova* Dank u wel.

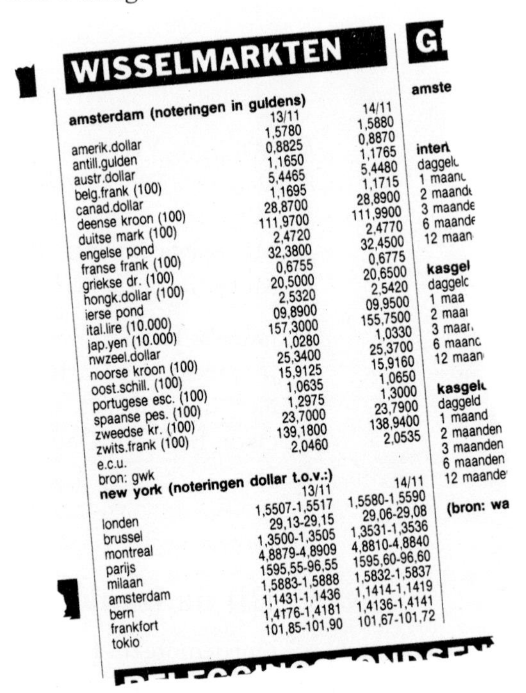

**WISSELMARKTEN**

| amsterdam (noteringen in guldens) | 13/11 | 14/11 |
|---|---|---|
| amerik.dollar | 1,5780 | 1,5880 |
| antill.gulden | 0,8825 | 0,8870 |
| austr.dollar | 1,1650 | 1,1765 |
| belg.frank (100) | 5,4465 | 5,4480 |
| canad.dollar | 1,1695 | 1,1715 |
| deense kroon (100) | 28,8700 | 28,8900 |
| duitse mark (100) | 111,9700 | 111,9900 |
| engelse pond | 2,4720 | 2,4770 |
| franse frank (100) | 32,3800 | 32,4500 |
| griekse dr. (100) | 0,6755 | 0,6775 |
| hongk.dollar (100) | 20,5000 | 20,6500 |
| ierse pond | 2,5320 | 2,5420 |
| ital.lire (10.000) | 09,8900 | 09,9500 |
| jap.yen (10.000) | 157,3000 | 155,7500 |
| nwzeel.dollar | 1,0280 | 1,0330 |
| noorse kroon (100) | 25,3400 | 25,3700 |
| oost.schill. (100) | 15,9125 | 15,9160 |
| portugese esc. (100) | 1,0635 | 1,0650 |
| spaanse pes. (100) | 1,2975 | 1,3000 |
| zweedse kr. (100) | 23,7000 | 23,7900 |
| zwits.frank (100) | 139,1800 | 138,9400 |
| e.c.u. | 2,0460 | 2,0535 |

bron: gwk

| new york (noteringen dollar t.o.v.:) | 13/11 | 14/11 |
|---|---|---|
| londen | 1,5507-1,5517 | 1,5580-1,5590 |
| brussel | 29,13-29,15 | 29,06-29,08 |
| montreal | 1,3500-1,3505 | 1,3531-1,3536 |
| parijs | 4,8879-4,8909 | 4,8810-4,8840 |
| milaan | 1595,55-96,55 | 1595,60-96,60 |
| amsterdam | 1,5883-1,5888 | 1,5832-1,5837 |
| bern | 1,1431-1,1436 | 1,1414-1,1419 |
| frankfort | 1,4176-1,4181 | 1,4136-1,4141 |
| tokio | 101,85-101,90 | 101,67-101,72 |

| de telefonist | het toestel |
|---|---|
| vreemd | in gesprek |
| de valuta | terugbellen |
| doorverbinden | de koers |
| de afdeling | de dinar |

## Informatie vragen

**Mag ik u iets vragen?**

– Pardon, mag ik u iets vragen?
– Zegt u het maar.

– Erik, mag ik je iets vragen?
– Ja hoor, wat is er?

**Ik wou/wilde (je) iets vragen (over …)**

– Ik wilde iets vragen over vreemde valuta.
– Wat wilt u weten?

– Ik wou je iets vragen, kan dat?
– Momentje graag.

**Kunt u me vertellen …**

– Kunt u me vertellen wat de koers van de dinar is?
– Ja, dat kan.

– Kun je me vertellen waar de Karnemelkstraat is?
– Ja hoor. Eerste straat links, dan de tweede rechts.

## Het samengestelde werkwoord

| 1 | *Onvoltooid tegenwoordige tijd* |
|---|---|
| **doorverbinden** | Ik verbind u door met de afdeling vreemde valuta. |
| **invullen** | Mevrouw Vandenberghe vult een formulier in. |
| **terugbellen** | Wilt u wachten of belt u terug? |
| **meegaan** | Ga je vanavond mee naar de film? |

| 2 | *Voltooid tegenwoordige tijd* |
|---|---|
| **aankomen** | Het pakje is donderdag aangekomen. |
| **invullen** | Mevrouw Vandenberghe heeft een formulier ingevuld. |
| **opbellen** | Ik heb hem vanmiddag opgebeld. |
| **instappen** | Waar bent u ingestapt? |

## D 7 06-8008 bellen

PTT Telecom. Inlichtingen telefoonnummers binnenland.
Er zijn meer dan twaalf wachtenden voor u.
Er zijn nog twaalf wachtenden voor u.
Er zijn nog negen wachtenden voor u.
5 Er zijn nog …

*telefoniste* Inlichtingen, goedemiddag.
*Hendrik de Ridder* Dag. Ik wou graag een telefoonnummer in Utrecht. Van Bommelstein.
*telefoniste* Wat is het adres?
10 *Hendrik de Ridder* Domstraat 87.
*telefoniste* L.C. Bommelstein?
*Hendrik de Ridder* Ja, dat klopt.
*telefoniste* Het nummer is 030-2869045.
*Hendrik de Ridder* Dank u wel.
15 *telefoniste* Tot uw dienst.
*Hendrik de Ridder* Dag.

| | |
|---|---|
| bellen | het binnenland |
| de inlichting | de wachtende |

### Beleefd vragen

**Ik wou graag ...**
- Ik wou graag een koffie en een spa.
- Komt eraan, meneer.

- Ik wou graag een telefoonnummer in Utrecht. Van Bommelstein.

## D 8 Waar moet je zijn?

Waar koop je een abonnement voor de bus of de tram? Waar geef je de geboorte van je kind aan? Waar koop je een telefoonkaart? Waar kun je informatie vinden over verenigingen in jouw woonplaats? Voor die dingen ga je in Nederland naar een openbare instelling zoals het postkantoor, het stadhuis of de bibliotheek. 'Openbaar' betekent: iedereen kan er naar binnen om iets te vragen of te zoeken.
Ken je al een beetje de weg in Nederland? Probeer eens de volgende vragen te maken.

Waar ga je naartoe als ....

- je gaat verhuizen. Waar moet je dat vertellen?
- je postzegels nodig hebt?
- je wilt telefoneren naar het buitenland?
- je lekker een krant wilt lezen?

15 – je graag een girorekening wilt?
– je telefoon wilt hebben?
– je een rijbewijs wilt aanvragen?
– je een telefoongids nodig hebt?
– je de geboorte van je kind wilt aangeven?
20 – je een abonnement voor de bus nodig hebt?
– je wilt gaan trouwen? Waar moet je dat aangeven?
– je een strippenkaart wilt kopen?
– je informatie over cursussen in je woonplaats wilt?

| | | |
|---|---|---|
| het abonnement | zoals | de krant |
| aangeven | het stadhuis | de girorekening |
| de geboorte | de bibliotheek | aanvragen |
| de informatie | kennen | de telefoongids |
| openbaar | telefoneren | trouwen |
| de instelling | het buitenland | de strippenkaart |

**E 9**

## Geen zin

Ik wou, ik wou, ik wou,
ik weet niet wat ik wou,
ik weet niet wat ik zou,
ik weet niet wat ik moet,
niet dat 't er iets toe doet,
want ik heb geen zin, geen zin,
nergens, nergens in,
ik hang alleen maar
overal rond –
en zeuren ze van:
Wat wil je dan?
dan zeg ik: Je vervelen
en niks niks niks niks willen
is ook wel eens gezond.

*Hans Andreus*

Uit: *De fontein in de buitenwijk*. Haarlem, Uitgevers Mij. Holland, 1976.

# 9 Wat staat er in de krant?

## A 1 Aan het ontbijt

*Annet* Zeg, schiet toch op. Het is bijna acht uur.
*Hannie* Ja, je hebt gelijk, maar ik kom toch te laat. Er rijden geen bussen vandaag.
*Annet* Meen je dat nou?
5 *Hannie* Ja, ik heb het net in de krant gelezen. Kijk, hier staat het: Buschauffeurs staken.
*Annet* Inderdaad. O, wat lastig! Dan kan ik vanmiddag ook niet de stad in.
*Hannie* Ach, misschien valt het mee. De
10 staking duurt vast niet lang.
*Annet* Denk je dat echt? Zet eens gauw de radio aan. Misschien is er nog nieuws over de acties.
*radio* Acht uur, radionieuwsdienst verzorgd
15 door het ANP.

| | | | |
|---|---|---|---|
| zeg | de buschauffeur | de staking | de actie |
| bijna | staken | vast | de radionieuwsdienst |
| gelijk hebben | inderdaad | aanzetten | verzorgen |
| menen | lastig | de radio | door |
| net | ach | het nieuws | |

### Iemand aansporen

**gauw/snel/vlug**
- We moeten nu snel gaan, anders missen we het concert.
- Ja, ik kom eraan.

- Zet eens gauw de radio aan.
- Misschien is er nog nieuws over de acties.

**opschieten**
- Kun je een beetje opschieten? We moeten de bus halen.
- Maar we hebben nog meer dan tien minuten!

- Zeg, schiet toch op. Het is bijna acht uur.
- Ja, je hebt gelijk, maar ik kom toch te laat. Er rijden geen bussen vandaag.

## Aan iets twijfelen

**Meent u dat nou?**
– Er rijden geen bussen vandaag.
– Meent u dat nou?

**Denk je dat echt?**
– De staking duurt vast niet lang.
– Denk je dat echt?

**Is dat zo?**
– Zwart rijden in de tram kan je *f* 60,– kosten.
– Is dat zo?

## De gebiedende wijs

1 **Zonder onderwerp**
*Het werkwoord heeft de vorm van de stam:*
Zeg, schiet toch op.
Zet eens gauw de radio aan.
Kom binnen.
Zeg het maar.

2 **Met onderwerp**
*In de tweede persoon:*
Ga jij maar even brood halen.
Geeft u mij maar een thee.
Zegt u het maar.

## B 2 Wat lezen zij?

*Monique Mertens:*
'Ik lees veel. En ik lees ook graag. Ik heb een abonnement op *de Volkskrant*, dat vind ik een heel duidelijke krant. Ik lees de krant meestal bij het ontbijt. Ik lees dan vooral het grote nieuws, zeg maar, en soms ook het commentaar van de krant.
5 O ja, artikelen over politiek en milieuproblemen, die lees ik ook graag. Als ontspanning lees ik vaak de *Viva* of de *Libelle*. Die koop ik dan los.'

*Richard van den Berg:*
'Nou, ik lees niet zo heel veel. Ik koop wel eens een krantje bij de kiosk hier tegenover, *De Telegraaf* bijvoorbeeld of *Het Parool*. Ik koop soms de *Voetbal International*, dat is natuurlijk hét blad voor mensen die van voetballen houden. Daar staan ook mooie foto's in. Maar het geld is wel een probleem. Ik ben nu werkloos en al die bladen kosten een boel geld. Het vakblad voor kappers bijvoorbeeld lees ik niet meer. En het *Noord-Hollands Dagblad* heb ik ook niet meer. Dat is gewoon te duur. Maar het is wel jammer.'

*Ramón López:*
'Bij mij op de brievenbus zit nu een NEE/NEE-sticker! Ik lees die krantjes toch nooit. Van de dagbladen lees ik eigenlijk alleen maar de NRC. Die geeft niet alleen nieuws, maar ook veel achtergrondinformatie, bijvoorbeeld over het onderwijs. Wel belangrijk voor een student, hè? Soms koop ik een tijdschrift zoals *Vrij Nederland* of *Panorama*. En heel soms een Spaanse krant. Nou, en verder lees ik niet zo veel. Na een dag studeren heb ik vaak geen zin meer in lezen.

*Angela de Coo:*
'Ik koop elke dag *De Standaard* op het station. Die lees ik dan in de trein, op weg naar m'n werk. En op zaterdag loop ik meestal even naar de krantenwinkel. Dan koop ik ook wel eens een andere krant, bijvoorbeeld *De Gentenaar* of *De Gazet van Antwerpen*. Of ik koop een tijdschrift, een *Feeling* of een *Elga* of zo. En soms een lekker roddelblad, heerlijk als ontspanning! Van het nieuws in de krant word ik soms echt depressief.'

| | | | | |
|---|---|---|---|---|
| duidelijk | vaak | de foto | niet alleen ..., maar ook ... | het roddelblad |
| vooral | los kopen | een boel | de achtergrondinformatie | depressief |
| het commentaar | de kiosk | het vakblad | het onderwijs | |
| het artikel | tegenover | de sticker | belangrijk | |
| het milieuprobleem | het voorbeeld | het dagblad | het tijdschrift | |
| de ontspanning | het blad | alleen maar | de krantenwinkel | |

## B 3 Kranten en tijdschriften

Heeft u in een kiosk of krantenwinkel ook wel eens gedacht: wat zijn er toch een boel verschillende bladen? Of: waar staat mijn eigen favoriete blad? Bovendien lijken veel bladen op elkaar. In principe kun je ze in **vijf groepen** verdelen.

In de **eerste plaats** hebben we de *kranten* of *dagbladen*. Deze bladen verschijnen elke dag, behalve op zondag. Ze geven vooral nieuws: over de politieke situatie in China of Engeland, over protestacties van de politie, enzovoort. Verder geven kranten in een commentaar vaak een mening over het nieuws.

In de **tweede plaats** zijn er zogenaamde *opiniebladen*. Die vertellen niet alleen wat er gebeurd is, maar ze geven ook allerlei achtergrond-informatie over het hoe en waarom van bepaalde acties. Het zijn bladen met een duidelijke, politieke mening. Die mening over het nieuws is in deze bladen belangrijker dan in de kranten. Ze verschijnen wekelijks, zoals *Elsevier*, *Vrij Nederland* of *De Groene Amsterdammer*.

De *familiebladen* vormen een **derde groep.** In die bladen staan leuke artikelen met mooie foto's naast serieuze artikelen over onderwijs, gezondheid en milieu-problemen of zo. Ze bieden dus niet alleen informatie, maar ook ontspanning. Voorbeelden van deze bladen zijn *Libelle, Panorama, Viva* of *Nieuwe Revu.*

**Ten vierde** kennen we de *roddelbladen* als *Story* of
40 *Privé*. Het zijn bladen die de lezer alleen maar willen
amuseren. Vaak brengen ze sensatie-verhalen, zoals:
'Nieuwe vriendin voor Anthony Delon' of: 'Waarom
is Sophia Loren zo depressief?'

**Tot slot** zijn er *vakbladen* en
45 *hobbybladen*, bijvoorbeeld *Personal
Computer Magazine*, *Voetbal
International* of *Vrouw en Mode*. In
deze bladen staat veel informatie en
vaak is die informatie tamelijk
50 professioneel.

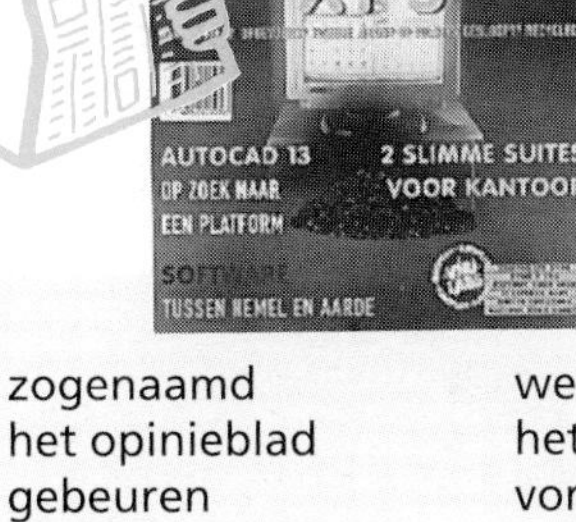


verschillend
eigen
favoriet
bovendien
lijken
in principe
de groep

verschijnen
behalve
de situatie
de protestactie
het protest
de politie
de mening

zogenaamd
het opinieblad
gebeuren
allerlei
het hoe en waarom
bepaald

wekelijks
het familieblad
vormen
serieus
de gezondheid
bieden

de lezer
zich amuseren
het sensatieverhaal
het hobbyblad
tamelijk
professioneel

## Opsommen

**In de eerste plaats ...,**
**in de tweede plaats ...**
**Ten eerste ...,**
**ten tweede ...**

– Waarom ga je niet mee naar het concert vanavond?
– Ten eerste heb ik weinig tijd. Ten tweede heb ik geen geld. Ten derde houd ik niet van concerten. En tenslotte heb ik weinig zin om met Lucy en Stephan te gaan. Nou goed?

**Verder ...**

**Tot slot ...**
**Ten slotte ...**

**...en zo, of zo.**
**...enzovoort.**

– In de eerste plaats hebben we de kranten of dagbladen ... In de tweede plaats zijn er zogenaamde opiniebladen ... De familiebladen vormen een derde groep. Ten vierde kennen we roddelbladen als *Story* of *Privé*. In die bladen staan artikelen over onderwijs, gezondheid en milieuproblemen en zo. Verder geven kranten in een commentaar ook vaak een mening over het nieuws ... Tot slot zijn er vakbladen en hobbybladen. Ze geven vooral nieuws: over de politieke situatie in Rusland, over protestacties van de politie, enzovoort.

## Een voorbeeld geven

**Een voorbeeld is ...**
**Bijvoorbeeld ...**
**Als/Zoals ...**

– Op het postkantoor kun je allerlei dingen kopen, bijvoorbeeld een strippenkaart, een busabonnement, postzegels, kaarten. Je kunt er ook allerlei dingen halen zoals een telefoonboek, een verhuisbericht en geld.

– Opiniebladen verschijnen wekelijks, zoals *Elsevier*, *Vrij Nederland* of *HP/De Tijd*. De familiebladen vormen een derde groep. Voorbeelden van deze bladen zijn *Libelle*, *Panorama*, *Viva* of *Nieuwe Revu*. Ten vierde kennen we de roddelbladen als *Story* of *Privé*. Tot slot zijn er vakbladen en hobbybladen, bijvoorbeeld *Personal Computer Magazine*, *Voetbal International* of *Vrouw en Mode*.

## Telwoorden (2)

| | | |
|---|---|---|
| 1e = eerste | 6e = zesde | 20e = twintigste |
| 2e = tweede | 7e = zevende | 30e = dertigste |
| 3e = derde | 8e = achtste | |
| 4e = vierde | 9e = negende | 100e = honderdste |
| 5e = vijfde | 10e = tiende | 1000e = duizendste |

– Ik heb vanmorgen mijn rijbewijs gehaald.
– Meteen de eerste keer? Wat goed!

– In de eerste plaats hebben we de kranten of dagbladen. In de tweede plaats zijn er zogenaamde opiniebladen. De familiebladen vormen een derde groep. Ten vierde kennen we de roddelbladen.

## C 4 In een krantenwinkel

| | | |
|---|---|---|
| | *Jean-Paul Daveau* | Is er geen *Le Monde* meer? |
| | *winkelier* | Nee, die hebben we vandaag niet gekregen. |
| | *Jean-Paul Daveau* | Komt hij nog wel? |
| | *winkelier* | Ja, morgen, denk ik. |
| 5 | *Jean-Paul Daveau* | En eh *Libération*? Die zie ik ook niet. |
| | *winkelier* | Nee, dat klopt, er zijn vandaag helemaal geen Franse kranten binnengekomen. |
| | *Jean-Paul Daveau* | O, wat vervelend. |
| | *winkelier* | Ja meneer, ik ben het met u eens, maar ik kan er ook niets |
| 10 | | aan doen. |
| | *Jean-Paul Daveau* | Nou, dan neem ik maar een *NRC* en een *Vrij Nederland*. |
| | *winkelier* | Deze twee? Dat is dan *f* 6,70. |
| | *Jean-Paul Daveau* | Alstublieft. |
| | *winkelier* | Ja, precies gepast, dank u wel. |

| | |
|---|---|
| niet/geen ... meer | het eens zijn met |
| de winkelier | er (n)iets aan kunnen doen |
| Frans | gepast |
| binnenkomen | |

## Iemand gelijk geven

**Ja, u hebt gelijk.**

- Ik vind het duur hoor, een dagschotel voor *f* 22,–.
- Ja, u hebt gelijk. We gaan naar een ander eetcafé.

- Zeg, je moet opschieten.
- Ja, je hebt gelijk, maar ik kom toch te laat.

**Ik ben het met je eens.**

- De kabeljauw is erg zout, vind je niet?
- Ja, dat ben ik met je eens.

- Zijn er geen kranten? O, wat vervelend.
- Ja meneer, ik ben het met u eens, maar ik kan er ook niets aan doen.

## Zeggen dat iets waar is

**Inderdaad.**

- Jij gaat verhuizen hè?
- Inderdaad, volgende week.

- Kijk, hier staat het: Buschauffeurs staken.
- Inderdaad.

**Dat klopt.**

- Deze sportschoenen zijn voor de helft van de prijs?
- Dat klopt, meneer.

- *Libération* zie ik ook niet.
- Nee, dat klopt, er zijn vandaag helemaal geen Franse kranten binnengekomen.

### Er (2): bij het onderwerp

**Is het onderwerp van de zin *onbepaald?* Dan *er* toevoegen:**

- Zit er al suiker in mijn koffie?
- Nee, er zit nog geen suiker in je koffie.

- Komen er veel mensen vanmiddag?
- Ik denk het wel.

- Zet je de radio even aan?
- Ja, misschien is er nog nieuws over de acties.

- Zijn er nog kaartjes voor Blue Velvet?
- Nee meneer, vanavond is het helemaal uitverkocht.

**Let op de *woordvolgorde***

| | *Persoonsvorm* | | | |
|---|---|---|---|---|
| Er | rijden | | geen bussen | vandaag. |
| Vandaag | rijden | er | geen bussen. | |

## Wat: in uitroepen

**Wat ...!**
- Hoe vind je mijn nieuwe jas?
- O, wat mooi!

- De buschauffeurs staken vandaag.
- O, wat lastig!

- Er zijn vandaag geen Franse kranten binnengekomen.
- O, wat vervelend!

**Wat een ...!**
- Wat een zoetekauw ben jij, zeg!
- Ja, ik houd inderdaad erg van zoet.

- Nou, hier woon ik dan.
- Joh, wat een leuke kamer!

- Wat zijn er toch een boel verschillende bladen, hè?
- Ja, te veel, vind ik.

## D 5 Tussen mensen geen grenzen

'Tussen mensen geen grenzen' is de titel van de migrantenweek, van 13 tot 19 november. De week wordt georganiseerd door de Stichting Kerken
5 en Multiculturele samenleving (KMS). In een folder krijgen clubs en verenigingen ideeën om in hun woonplaats iets te doen met 'de multiculturele samenleving'. Je kunt
10 bijvoorbeeld iemand laten vertellen over zijn land of beelden laten zien. Je kunt boeken lezen met je club of vereniging. Aan het slot van de week kun je een feest houden, je kunt een bericht naar de
15 pers sturen, enzovoort.

Voor informatie kun je terecht bij:
KMS, Luybenstraat 17,
5211 BR 's-Hertogenbosch.
Tel. 073-6143032.

Naar: *Hervormd Nederland 44*, 5 november 1994 en brochure KMS *'Tussen mensen geen grenzen'*, 1994.

| | | |
|---|---|---|
| tussen | multicultureel | de pers |
| de titel | de samenleving | sturen |
| de migrantenweek | de folder | terecht kunnen (bij) |
| organiseren | het beeld | |
| de stichting | het slot | |

## D 6 Krantenkoppen

Ministerie van Economische Zaken: winkels langer open

Minister stopt bespreking met studenten

Oplossing voor conflict in Noord-Ierland

Nieuw cultureel centrum in Groningen

*Kans op vrede in Bosnië klein*

Betrekkingen tussen Rusland en Tsjetsjenië slechter

Opnieuw oorlog in Burundi?

Kritiek op organisatie house-party

Buschauffeurs eisen kortere werktijden

Zaterdag beslissing Wimbledon vrouwen

de krantenkop
de minister
de bespreking
de kans
de vrede

de betrekking
opnieuw
de oorlog
de beslissing
de oplossing

het conflict
het ministerie
economisch
open
eisen

de werktijd
cultureel
de kritiek
de organisatie
de house-party

E 7 **Uit de krant**

# Schoon

SINGAPORE, 2 JAN. – Singapore is een klein landje. Eigenlijk bestaat het land uit maar één grote stad. Het ligt in de buurt van Indonesië. Men wil graag dat het land schoon blijft. Je mag bijvoorbeeld geen papier op straat gooien. Doe je dat toch, dan kan dat veel geld kosten. In Singapore is dan ook niets op straat te vinden. Men gaat ook steeds meer tegen het roken doen. Het is niet alleen verboden te roken in openbare instellingen, maar ook in je eigen auto. Als je toch rookt, kost je dat *f* 1200,–.

# Tweeling

LONDEN, 9 NOV. – Er worden steeds meer tweelingen geboren. Soms lijken tweelingen erg op elkaar, soms ook niet. In Engeland is pas een hele bijzondere tweeling geboren. De blanke moeder, die getrouwd is met een donkere man, kreeg een blank meisje en een zwart jongetje. Broer en zus, maar twee verschillende rassen. De kans op zo'n tweeling (van twee verschillende kleuren) is klein: één op een miljoen.

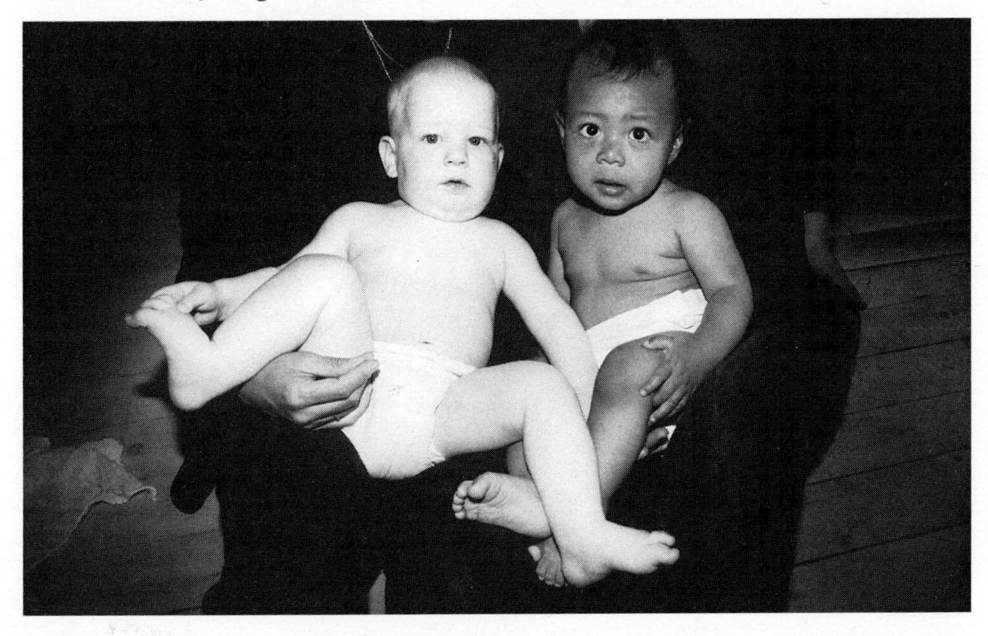

Naar: *De Toonzetter*, september 1994.

## E 8 Studenten lezen voor minder geld!

## E 9 Advertenties

Vrouwen hadden al

een eigen café...

en nu ook een eigen rubriek

om een bardame te vinden.

# 10 Wat vind jij?

## A 1 Een gesprek over computers

*Mieke Rosier* Zeg, mag ik je even iets vragen? Jij weet toch veel van computers, hè?
*Hetty Kroon* Nou, nee hoor, dat is niet zo. Ga je een computer kopen?
*Mieke Rosier* Ja, ik heb een goedkope aanbieding in de krant gezien.
5 *Hetty Kroon* Wat voor computer is het?
*Mieke Rosier* O, het is een heel eenvoudig apparaat, hij is niet echt snel of zo, voor *f* 800,–.
*Hetty Kroon* Nieuw?
*Mieke Rosier* Nee, tweedehands.
10 *Hetty Kroon* Moet je niet doen.
*Mieke Rosier* Nee? Waarom niet?
*Hetty Kroon* Veel te duur, joh.
*Mieke Rosier* Ja? Nou, dat denk ik niet, hoor.
*Hetty Kroon* Ja, kijk, je moet het natuurlijk zelf weten, maar volgens mij kun
15 je zoiets veel goedkoper krijgen.
*Mieke Rosier* Denk je dat echt?
*Hetty Kroon* Ja joh. En waarom neem je geen nieuwe? Voor iets meer heb je een veel snellere.
*Mieke Rosier* Lijkt je dat beter?
20 *Hetty Kroon* Ja, mij wel, dat werkt toch veel lekkerder?
*Mieke Rosier* Dat is waar. Maar ik gebruik hem hoofdzakelijk voor mijn administratie.
*Hetty Kroon* Ja, maar over een tijdje kom je ongetwijfeld wat beters tegen.

*Mieke Rosier* Dus je vindt dat ik het niet moet doen?
25 *Hetty Kroon* Nee, wacht rustig af.
*Mieke Rosier* Nou, dan wacht ik nog maar even. Bedankt voor je advies.

| | | | |
|---|---|---|---|
| de computer | volgens | ongetwijfeld | het advies |
| eenvoudig | hoofdzakelijk | wat beters | |
| het apparaat | de administratie | afwachten | |
| tweedehands | tegenkomen | rustig | |

## Iets gaan zeggen

**Zeg**
- Zeg, mag ik je even iets vragen?
- Natuurlijk!

**Nou**
- Wacht rustig af.
- Nou, dan wacht ik nog maar even.

**(Ja), kijk**
- Zal ik Mieke ook uitnodigen voor vrijdag?
- Ja, kijk, als jij dat leuk vindt...

## Iemand tegenspreken

**Nee, dat is niet zo.**
- Dat café is nieuw, hè?
- Nee hoor, dat is niet zo. Het zit er al een tijdje.

- Jij weet toch veel van computers, hè?
- Nou, nee hoor, dat is niet zo.

**Dat denk ik niet.**
- Stephan houdt wel van vis, hè?
- Nee, dat denk ik niet.

- De computer is veel te duur.
- Nou, dat denk ik niet, hoor.

## B 2 Een interview met een filmproducent

*interviewer* In de studio zit Rob Houwer, Nederlands beroemdste filmproducent. Meneer Houwer, wat vindt u van de grote belangstelling voor de videocamera?

*Rob Houwer* Ik vind dat een goede ontwikkeling. Het is een teken dat mensen het filmvak leuk vinden.

*interviewer* U hebt zelf een aantal bekende films gemaakt, zoals *Turks Fruit*, *Keetje Tippel* en *Soldaat van Oranje*. Denkt u dat de videofilmers concurrenten van u gaan worden?

*Rob Houwer* Nee, absoluut niet. Voor het maken van een goede film of video heb je talent nodig en lang niet iedereen heeft talent.

*interviewer* U gelooft niet dat er nu ineens veel nieuwe filmproducenten bijkomen?

*Rob Houwer* Dat denk ik niet, nee. Maar ik vind het wel leuk dat zoveel mensen het filmvak ontdekken. Dan leren ze meteen dat het maken van een film heel moeilijk is. Tegen jonge filmers zeg ik altijd: maak eerst een video.

*Monique van de Ven en Rutger Hauer in Turks Fruit, een film van Paul Verhoeven, 1973.*

| | |
|---|---|
| *interviewer* | Waarom vindt u dat belangrijk? |
| *Rob Houwer* | Omdat je door het maken van een video veel ervaring krijgt. |
| *interviewer* | U bent dus niet bang voor de concurrentie van videofilmers, begrijp ik? |
| *Rob Houwer* | Nee, integendeel. Als er meer videofilmers komen, wordt de belangstelling voor het echte filmvak juist groter. |
| *interviewer* | Dank u voor dit gesprek. |
| *Rob Houwer* | Graag gedaan. |

20

Naar: Filmproducent Rob Houwer: 'Welkom, videofilmers!', *Raf magazine* 2, Amsterdam 1988, pp.34-35.

| | | | |
|---|---|---|---|
| het interview | het aantal | geloven | omdat |
| de filmproducent | de videofilmer | ineens | de ervaring |
| de studio | de concurrent | zoveel | bang zijn |
| beroemd | absoluut | ontdekken | de concurrentie |
| de videocamera | de video | moeilijk | begrijpen |
| de ontwikkeling | het talent | tegen | integendeel |
| het teken | nodig hebben | de filmer | juist |
| het filmvak | iedereen | eerst | |

## Vragen naar een mening

**Wat vind je van ...?**

– Wat vind je van Code Nederlands?
– Nou, ik vind het wel goed.

– Meneer Houwer, wat vindt u van de grote belangstelling voor de videocamera?
– Ik vind dat een goede ontwikkeling.

**Vindt u ...?**

– Vindt u haring lekker?
– Ja, heerlijk.

– Vind je een spijkerbroek van *f* 200,– duur?
– Nou, zeker!

**Denk je (niet) dat ...?**

– Denk je niet dat er morgen veel mensen komen?
– Ja, ik denk het wel.

– Denkt u dat de videofilmers concurrenten van u gaan worden?
– Nee, absoluut niet.

**Gelooft u (niet) dat ...?**

– Gelooft u dat Nederland een multiculturele samenleving is?
– Nou, meer en meer, denk ik.

– U gelooft niet dat er nu ineens veel nieuwe filmproducenten bij komen?
– Dat denk ik niet, nee.

## C 3 Meer televisie kijken, minder lezen

*interviewer* Nederlanders kijken steeds meer televisie en lezen minder. Dat is de conclusie uit een onderzoek van de heren Kalmijn en Knulst. We hebben een gesprek met de heer Kalmijn. Meneer Kalmijn, wat hebt u precies onderzocht?

5 *de heer Kalmijn* We hebben gekeken naar het gebruik van kranten, tijdschriften, boeken, televisie en radio bij Nederlanders van twaalf jaar en ouder.

*interviewer* En wat zijn de resultaten?

*de heer Kalmijn* Ja, dat heeft u eigenlijk al gezegd. We hebben vastgesteld dat
10 Nederlanders steeds meer TV kijken, terwijl de belangstelling voor het lezen afneemt.

*interviewer* Geldt dat voor alle Nederlanders?

*de heer Kalmijn* Eigenlijk wel, ja. Maar vooral bij jongeren hebben we een toename in het TV kijken geconstateerd.

15 *interviewer* Hoe komt dat volgens u?

*de heer Kalmijn* Ik denk dat er drie oorzaken zijn. In de eerste plaats heeft Nederland kabeltelevisie gekregen. In de tweede plaats zijn er meer kanalen bij gekomen. En ten derde hebben veel mensen tegenwoordig een videorecorder. De gelegenheid om
20 televisie te kijken is daardoor groter geworden.

*interviewer* Denkt u dat mensen op den duur nog meer televisie gaan kijken?

*de heer Kalmijn* Nee, ik geloof dat de interesse voor televisie over enige tijd wel weer daalt.

| | |
|---|---|
| *interviewer* | Waarom denkt u dat? |
| 25 *de heer Kalmijn* | Omdat het met de belangstelling voor radio, grammofoon, bioscoop en stripboeken net zo is gegaan. Die hebben een tijdlang veel aandacht gekregen, maar later is de belangstelling weer afgenomen. En volgens mij gaat het met de televisie net zo. |
| *interviewer* | Dank u wel voor dit gesprek. |
| 30 *de heer Kalmijn* | Graag gedaan. |

de interviewer
de Nederlander
steeds
de conclusie
het onderzoek
de heer
onderzoeken
het gebruik
het resultaat
vaststellen
terwijl
afnemen
gelden
de toename
constateren
hoe komt het...?
de oorzaak
de kabeltelevisie
het kanaal
tegenwoordig
de videorecorder
de gelegenheid
daardoor
op den duur
enig
dalen
de grammofoon
het stripboek
net zo
een tijdlang
de aandacht
later
afnemen

## Een mening geven

**Ik denk dat ...**

– Is de krant er al?
– Nee, ik denk dat die niet meer komt.

– Hoe komt het dat mensen meer TV kijken en minder lezen?
– Ik denk dat er drie oorzaken zijn.

**Ik geloof dat ...**

– Is er nog iets op de TV vanavond?
– Ik geloof dat er een mooie film komt.

– Denkt u dat mensen op den duur nog meer televisie gaan kijken?
– Nee, ik geloof dat de interesse voor de televisie over enige tijd wel weer daalt.

**Volgens mij ...**

– Hoe laat komen Ulla en David?
– Volgens mij om 9 uur.

– Ja, kijk, je moet het natuurlijk zelf weten. Maar volgens mij kun je zo'n computer veel goedkoper krijgen.
– Denk je dat echt?

**Ik vind dat ...**

– Ik vind dat je iets anders moet aantrekken.
– Ja, maar wat dan?

– Wat vind jij nou een goede krant?
– Ik vind dat *de Volkskrant* wel lekker leest.

## Woordvolgorde (5)

### Samengestelde zinnen

#### 1 Hoofdzin & hoofdzin

| | *Persoonsvorm* | | | | | | *Persoonsvorm* | | |
|---|---|---|---|---|---|---|---|---|---|
| Ik | ga | | naar de markt | | *en* | daarna | ga | ik | even naar Paula. |
| Ik | heb | | een mooie jas | gezien | *maar* | hij | is | | zo duur. |
| Morgen | komt | hij | later | | *want* | hij | moet | | eerst naar Utrecht. |

#### 2 Hoofdzin & bijzin

| | | | | | *Onderwerp* | | *Alle werkwoorden* |
|---|---|---|---|---|---|---|---|
| Ik | vind | | | *dat* | je | iets anders | moet aantrekken. |
| Je | moet | die jas niet | kopen, | *als* | je | hem te duur | vindt. |
| Ze | kijken | meer TV, | | *terwijl* | ze | minder | lezen. |

#### 3 Bijzin & hoofdzin

| | | | | *Persoonsvorm* | *Onderwerp* | |
|---|---|---|---|---|---|---|
| *Als* | je | die jas te duur | vindt, | moet | je | hem niet kopen. |
| *Omdat* | hij | eerst naar Utrecht | moet, | komt | hij | later. |
| *Terwijl* | ik | de krant | lees, | gaat | de telefoon. | |

D

## 4 Spectaculaire aanbiedingen

| | | |
|---|---|---|
| spectaculair | het gasstel | de radio/cassetterecorder |
| de hifi-set | de magnetron | het strijkijzer |
| de kleuren-tv | de walkman | de compactdisc-speler (cd-speler) |
| de stofzuiger | de wasautomaat | de koelkast |

## D 5 Relatie TV kijken en te veel gewicht?

Er is een relatie tussen TV kijken en te veel gewicht. Dat is de conclusie uit een onderzoek van Diets en Gortmaker. Van de mensen die minder 5 dan één uur per dag TV kijken, is tien procent te dik. Van de mensen die meer dan vijf uur voor de TV zitten, is twintig procent te dik. Te veel gewicht kan natuurlijk ook door andere dingen 10 komen, bijvoorbeeld door te veel eten voor de buis. En hoe zit het met mensen die meer dan vijf uur lezen? Dat hebben Diets en Gortmaker niet onderzocht.

Naar: *Gezondheidsnieuws* 10, 1994.

de relatie
het procent
dik
de buis
hoe zit het met...?

## E 6 TV Nederland

### NEDERLAND 1

**7.00 Tekst tv** (NOS)
**9.00 Ik Mik Loreland** (NOT)
Afl 14: *Woordvissen in Weerwater.* (5-7 jr).
**9.20 Tekst tv** (NOS)
**16.41 Nws voor slechthorenden** (NOS)
**16.48 Studio op stelten** (KRO)
**Paulus de Boskabouter** Poppenserie.
**Wat gebeurt er later** Julia Henneman vertelt dierenverhalen van Toon Tellegen. Afl 19: *Bestaat mijn vriend.*
**Medisch Centrum Muis** Nederlandse poppenserie. Afl: *Mond-op-mond-beademing.*
**Doug** Animatieserie. Afl 18. *Herh.*
**17.41 Robbedoes** (KRO)
Afl: *Het fort der vergeetachtigheid.*
**18.08 Boggle** (KRO)
**18.35 Mr. Ed** ◧ (KRO)
Amerikaanse comedyserie uit de jaren '60 rond Mr. Ed, het sprekende paard. Met oa Alan Young en Connie Hines. *Zie Etalage.*
**19.01 Tussen eten en afwas:**
**Dubbeljong** (IKON) Ⓣ
Achtdelige programmaserie waarin jongeren tussen 14 en 20 jaar een gesprek voeren met een van hun ouders. In deze nieuwe reeks afleveringen tevens een gesprek tussen twee jongeren onderling, over eenzelfde onderwerp. Afl 1: *Jongens denken meteen aan seks.* Een zoon wil van zijn vader weten hoe het was toen deze voor het eerst met een meisje naar bed ging. Als de vader informeert naar het liefdesleven van zijn zoon ontstaat een boeiend gesprek van mannen onder elkaar. Dat geldt ook voor het gesprek tussen twee jongens waarin zij over de eerste keer, romantiek, voorspel en klaarkomen open en eerlijk praten.
**19.33 Ik heb al een boek** (KRO) Ⓣ
Boekenprogramma. Presentatie: Aad van den Heuvel en Martin Ros.
**19.53 GPV** (PP)

### NEDERLAND 2

**7.00** NOS-JOURNAAL ⓞ **7.06** (VARA) Lingo. Herh. **7.30** NOS-JOURNAAL ⓞ **7.33** (KRO) Ontbijt tv (8.00-8.07 NOS-JOURNAAL ⓞ) **8.28** NOS-JOURNAAL ⓞ **8.33** (NCRV) Boggle. Herh. **9.00** NOS-JOURNAAL ⓞ **9.05** (PP) D66 **9.08** (EO/VOO/TROS) Kook tv **9.29** (AVRO) Via Ria **10.19** (NCRV) Hollands welvaren **10.44** (RVU) Master photographers. Afl 2: Alfred Eisenstadt **11.14** (AVRO) Wie van de drie **11.39** (NCRV) Taxi **12.31** (TROS) Dat zeg ik niet. Afl 10. Herh. **13.00** NOS-JOURNAAL ⓞ **13.07** (VPRO) Lopende zaken. Herh. **13.32** (VPRO) The wonder years. Herh. **13.57** (VPRO) Villa Achterwerk. Herh.
**16.00 NOS-JOURNAAL** ⓞ Ⓣ
**16.09 Jody en het hertejong** (EO)
(The yearling). Tekenfilmserie. *Herh. 1989.*
**16.33 De troon van Koning Kunstgebit** (EO)
Kleuterprogramma.
**17.00 Deepwater Haven** (EO)
Afl: *Een andere baan.* Met oa Vince Martin.
**17.27 De geheimen van het tropische bos** (EO) Ⓣ
(Geheimnisvolle Tierwelt). Duitse serie natuurfilms. Afl: *Op zoek naar het vingerdier.* In het regenwoud van Madagascar.
**17.51 Clip** (EO)
**17.58 2 Vandaag** (NOS/EO/TROS/VOO) Ⓣ
**18.00 NOS-JOURNAAL** ⓞ
**18.15 Actualiteiten** (EO/TROS/VOO)
**18.39 Sportjournaal** (NOS)
**18.47 De hoofdpunten uit het nieuws en weerbericht** (NOS)
**18.56 Jan en alleman** (EO)
Serie 'humoristische' interviews. Afl 4. Presentatie: Jan van den Bosch.
**19.24 Onderweg naar morgen** (VOO/TROS) Ⓣ
**19.52 Ik weet het beter** (EO)
**20.20 Antarctica, leven in de vrieskou** (EO) Ⓣ
(Life in the freezer). 6-delige Engelse (BBC-) natuurserie uit 1993 over de Zuidpool. Afl

### NEDERLAND 3

**8.53-9.00 Nws voor slechthorenden** (NOS)
**12.00-12.07 Nws voor slechthorenden** (NOS)
**17.15 Villa Achterwerk** (VPRO)
**Potje sport** Kindersportprogramma. Samenstelling: Marc Braun, Johan Timmers, Machteld van Gelder en Boudewijn Koole. *Herh.*
**17.45 The Bob Morrison show** (VARA)
Australische comedyserie. Afl: *De trouwdag.* Lizzy herinnert Steve aan hun trouwdag. Deze keer is dat overbodig: hij heeft al lang een cadeau voor haar gekocht, al kan hij het nergens meer vinden. Met oa Nikki Coghill, Andy Anderson, Matt Day en Ellissa Elliott.
**18.10 Fabeltjeskrant** (VARA/VPRO/NPS/RVU)
**18.15 Sesamstraat** (NPS)
**18.30 Jeugdjournaal** (NOS) Ⓣ
**18.40 Klokhuis** (NPS) Ⓣ
Afl: *Chroma.* De weerman in de studio staat niet voor een echte weerkaart. Hij neemt plaats voor een blauw gekleurd scherm waarop een kaart of satellietfoto's worden geprojecteerd. De weerman zelf leest het weer af van een monitor. Zo'n 'trucage' komt tot stand door 'chroma-key': het elektronisch 'verwijderen' van kleuren in tv-beelden.
**18.58 Lingo** (VARA) Ⓣ
Woordspel olv François Boulangé.
**19.25 Kassa!** (VARA)
Consumentenmagazine. Met de Kassa!-klachtencommissie en de verborgen camera. Presentatie: Felix Meurders.
**19.58 Grace under fire** (VARA)
Amerikaanse comedyserie. Afl: *Opwinding en Bill Mazeroski.* Grace vindt dat zij wat meer tijd voor zichzelf nodig heeft; ze besluit weer te gaan schilderen. Kans om zich te concentreren, krijgt ze echter nauwelijks. Met oa Brett Butler, Julie White en Dave Thomas.
**20.30 Studio sport** (NOS) Ⓣ
**21.54 Trekking dagelijkse lotto** (NOS)
**JOURNAAL** ⓞ Ⓣ

### RTL 4

**6.30** Hei elei **7.00** NIEUWS **7.07** Delfy **7.30** NIEUWS **7.37** De Smurfen **8.00** NIEUWS **8.08** The bold & the beautiful. Herh. **8.30** NIEUWS **8.35** Santa Barbara (1). Herh. **9.00** NIEUWS **9.10** Santa Barbara (2). Herh. **9.30** GTST. Herh. **10.00** Koffietijd **11.00** Showtime shop **11.05** As the world turns **11.50** Tjilp **11.55** Delfy. Herh. **12.20** Transformers Second Generation **12.50** Samurai Pizza Cats **13.15** Gezond & wel. Herh. **13.45** Koken met sterren. Herh. **14.15** Rad van fortuin. Herh. **14.45** Golden girls **15.15** Showtime shop **15.20** Santa Barbara. Soap.
**16.10 The Oprah Winfrey show** Afl: *Oprah in Philadelphia.*
**17.00 5 uur show** Met Viola Holt.
**18.00 ZES UUR NIEUWS**
**18.15 Ooggetuige** Reportages.
**18.30 Rad van fortuin** Spel.
**19.00 The bold & the beautiful**
**19.30 HALF ACHT NIEUWS**
**19.50 Weer** Met John Bernard.
**20.00 Goede tijden slechte tijden**
**20.30 Waargebeurde verhalen:**
**A child too many** VS 1993. Tv-film van Jorge Montesi. Familiedrama. Met oa Michele Greene en Nancy Stafford. Patty is moeder van drie kinderen, gelukkig getrouwd en... draagmoeder. Voor het echtpaar Bill en Sharon. Uitleggen aan de kinderen dat het nieuwe kindje niet thuis gaat wonen is al niet eenvoudig, maar als blijkt dat Patty zwanger is van een tweeling, en Bill en Sharon maar één kindje willen, zijn er echt problemen.
**22.15 Thailand: Het land van de glimlach** Vierdelige documentaire serie over Thailand. Afl 2: *Toerisme* (2).
**22.45 Nurses** Amerikaanse comedy.
**23.15 Speelfilmoverzicht**
**23.20 NIEUWS, Sport en Weer**
**23.50 The streets of San Francisco** *Hh*
**0.45 The Oprah Winfrey show** *Herh.*
programma

## E 7 In de spiegel

In de spiegel
zie je
je eigen buitenkant
speel je
met jezelf teevee
kijk je
of je lijkt
op het kind dat je
van binnen bent.

*Jan 't Lam*

Uit: *Ik heb wel eens een bui.*
Den Haag, Leopold, cop. 1985.

## E 8 Filmnet

# BINNENKORT BIJ U IN PREMIÈRE?

**FilmNet is de Ereloge voor de filmliefhebber. 24 uur per dag topfilms en nog eens topfilms, het eerste bij u thuis. Elke dag een première, heel veel afwisseling, boeiende achtergronden en onthullende specials. En voor de kinderen is er K-T.V., het leukste kinderprogramma voor èn door kinderen.**
**FilmNet is een echte Nederlandse zender. Nederlandse presentatie, Nederlandse ondertiteling en uiteraard de beste films van eigen bodem. Kenmerkend is ook, dat programma's nooit worden onderbroken door reclame. Dat kijkt wel zo plezierig. Ten slotte worden abonnees uitvoerig over het programma-aanbod geïnformeerd met een uitgebreide, gratis gids. De komende maanden kunt ook ù Ereloge zitten, als bij FilmNet de onderstaande films in première gaan.**

**Barry Lyndon**
***Drama,*** *1975 van Stanley Kubrick.*
*Met o.a. Ryan O'Neal, Marisa Berenson, Patrick Magee.*
Ryan O'Neal speelt Barry Lyndon, een Ierse gokker die in de 18e eeuw de Engelse aristocratie binnendringt. Bekroond met 4 oscars.

**Husband and Wives**
***Comedy-drama,*** *1992 van Woody Allan.*
*Met o.a. Woody Allan, Liam Neeson, Juliette Lewis, Mia Farrow.*
Woody Allan en Mia Farrow zijn een echtpaar met ernstige huwelijksproblemen in een subtiele mix van humor en drama.

**Enchanted April**
***Komedie,*** *1991 van Mike Newell*
*Met o.a. Josie Lawrence, Miranda Richardson, Joan Plowright.*
Wanneer vier dames een Italiaanse villa huren verandert hun leven voorgoed. Deze film kreeg drie Oscarnominaties en twee Golden Globes.

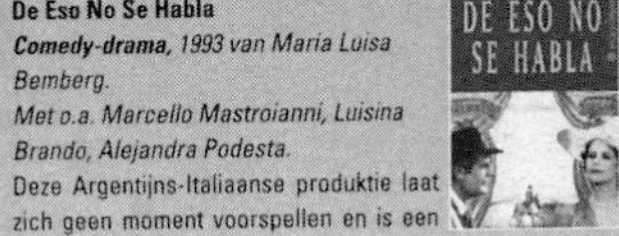


**De Eso No Se Habla**
***Comedy-drama,*** *1993 van Maria Luisa Bemberg.*
*Met o.a. Marcello Mastroianni, Luisina Brando, Alejandra Podesta.*
Deze Argentijns-Italiaanse produktie laat zich geen moment voorspellen en is een belevenis op zichzelf. Humor en drama over het wonderlijke leven van het dwergmeisje Charlotte.

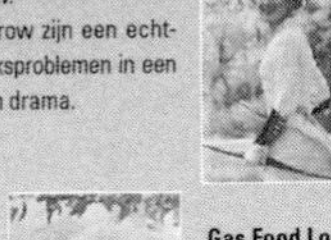

**The Age of Innocence**
***Drama,*** *1993 van Martin Scorsese*
*Met o.a. Daniel Day-Lewis, Michelle Pfeiffer, Winona Ryder*
Martin Scorsese's drama over liefde en hartstocht rond 1870 in de conventionele New Yorkse high-society.

**Gas Food Lodging**
***Drama,*** *1992 van Allison Anders.*
*Met o.a. Brooke Adams, Ione Skye, Fairuza Balk.*
Allison Anders verwerkte haar eigen ervaringen in dit bitterzoete familiedrama over drie vrouwen (een gescheiden moeder en haar twee opgroeiende dochters) en hun speurtocht naar liefde en geluk.

**Groundhog Day**
***Komedie,*** 1993 van Harold Ramis.
*Met o.a. Bill Muray, Andie Mac Dowell.*
Bill Murray als weerman Phil heeft een ongewoon probleem: hij wordt elke ochtend op dezelfde dag wakker! Ongewoon leuke komedie, die nog vaak (en zonder succes) zou worden geimiteerd.

Maar u zit ook Ereloge bij FilmNet als de volgende films in première gaan: What's Eating Gilbert Grape?, Sleepless in Seattle, Miss Amerigua, In the Line of Fire, King of the Hill.
Voor **fl. 44,95** per maand bent u abonnee van FilmNet. Voor een tientje meer ontvangt u ook SuperSport, het nieuwe sportkanaal van FilmNet.
Wilt u meer informatie? Bel dan met MultiChoice, de aanbieder van FilmNet en SuperSport: **06-8350** (40 cpm.).
Uiteraard kunt u ook meteen naar de MultiChoice-dealer bij u in de buurt gaan.

Programmering onder voorbehoud.

## FILMNET GOES 'FESTIVAL!'

**25ste Internationale Filmfestival van Rotterdam 24 januari tot en met 4 februari 1996.**

FilmNet brengt alle info bij u thuis: in 'Festival!' en op Teletekst. Alle informatie over de nieuwste produkties die op de festivals worden voorgesteld, krijgt u meteen te zien. In Rotterdam maken wij een dagelijks verslag dat omstreeks 19u45 op FilmNet te bekijken valt. De heruitzending van 'Festival!' volgt rond 21u45. Ook het Filmfestival van Brussel wordt door FilmNet op de voet gevolgd. Regelmatige reportages ziet u eveneens in 'Festival!'.

2 x Wim Wenders. Mede met het oog op de première van Wim Wenders' nieuwste produktie, 'Lisbon Story', presenteert FilmNet in februari een mini-retrospectief van deze unieke en invloedrijke Duitse cineast. Op het programma staan twee van Wenders' belangrijkste werken: 'Der Amerikanische Freund' (1977) en het in Cannes met de Gouden Palm bekroonde meesterwerk 'Paris, Texas' (1983).

**BEL NU: 06-8350**
**(40 CENT PER MINUUT)**

# DE BESTE FILMS HET EERST OP FILMNET

# 11 Daar ben ik tegen

## A 1 Gesprek met een politicus

Op een bijeenkomst van een politieke partij stelt een journalist aan de heer Wubbels, die een lezing heeft gehouden, een paar vragen.

*journalist* Er is pas een enquête gehouden over de hulp van Nederland aan de derde wereld. De meeste mensen vinden dat Nederland
5 genoeg steun geeft aan de derde wereld. Wat vindt u ervan?
*de heer Wubbels* Daar ben ik het niet helemaal mee eens. Ik vind dat we de hulp nog wel wat kunnen vergroten.
*journalist* Maar betekent dat niet dat we in Nederland nog meer moeten bezuinigen?
10 *de heer Wubbels* Ja, volgens mij zijn er nog wel enkele posten waarop we kunnen bezuinigen.
*journalist* Waaraan denkt u dan?
*de heer Wubbels* Dan denk ik met name aan de bewapening.
*journalist* In de enquête stond ook een vraag over de besteding van het geld.
15 *de heer Wubbels* Waarover?
*journalist* Over de besteding van het geld, dat wil zeggen: wat doet de Nederlandse overheid ermee?
Ongeveer veertig procent van de mensen vindt dat het geld goed wordt besteed. Wat is uw reactie hierop?
20 *de heer Wubbels* Veertig procent vind ik erg weinig. Daar moet de regering maar eens over nadenken.

| | | | | |
|---|---|---|---|---|
| de politicus | de journalist | de derde wereld | de bewapening | besteden |
| de bijeenkomst | de lezing | de steun | stond (staan) | de reactie |
| politiek | pas | vergroten | de besteding | erg |
| de partij | de enquête | bezuinigen | dat wil zeggen | de regering |
| een vraag stellen | de hulp | enkel | de overheid | nadenken |

### Verwijzen (2): er/daar/waar + voorzetsel

- Paul, heb jij zin in het feest van morgen?
- Ja, ik heb er wel zin in, jij niet?

- Ik wil zo even naar *Goede tijden slechte tijden* kijken.
- Kijk jij dáárnaar?

- De avond gaat over de migrantenweek in november.
- Waarover? Waar gaat de avond over?

- Vindt u dat Nederland genoeg steun geeft aan de derde wereld?
- Daar ben ik het niet helemaal mee eens.

## B 2 Nederland: democratie en monarchie

Nederland is een parlementaire democratie. Dat betekent dat er een parlement is. Het parlement bestaat uit twee 'kamers': de Eerste Kamer (75 leden) en de Tweede Kamer (150 leden). In het parlement worden de beslissingen democratisch genomen, dat wil zeggen: de meerderheid van de leden beslist. De Eerste Kamer heeft een soort controlefunctie voor de Tweede Kamer. Democratisch betekent bovendien dat er verschillende politieke partijen zijn. Aan de Tweede-Kamerverkiezingen van 1994 deden 26 partijen mee. Twaalf partijen zijn in de Tweede Kamer gekomen. De vier grootste partijen zijn: PvdA, CDA, VVD en D66. Voor de verkiezingen hebben alle partijen verkiezingsprogramma's gemaakt. Daarin staan hun standpunten over allerlei zaken.

Nederland is niet alleen een parlementaire democratie, maar ook een constitutionele monarchie: de rechten en plichten zijn geregeld in een grondwet en de koning(in) is het staatshoofd.

de democratie
de monarchie
parlementair
het parlement
de Eerste Kamer
de Tweede Kamer
democratisch
een beslissing nemen
de meerderheid
de stemmen
beslissen
de/het soort
de controlefunctie
de Tweede-Kamerverkiezingen
meedoen
de verkiezing
het verkiezingsprogramma
het standpunt
constitutioneel
het recht
de plicht
regelen
de grondwet
de koningin
het staatshoofd

B

## 3 Uitslag Tweede-Kamerverkiezingen 1994

| | *stemmen* | *percentage* | *zetels* | | *stemmen* | *percentage* | *zetels* |
|---|---|---|---|---|---|---|---|
| PvdA | 2 150 035 | 24,0 | 37 | RPF | 158 702 | 1,8 | 3 |
| CDA | 1 994 115 | 22,2 | 34 | SGP | 155 177 | 1,7 | 2 |
| VVD | 1 787 358 | 19,9 | 31 | GPV | 118 990 | 1,3 | 2 |
| D66 | 1 387 883 | 15,5 | 24 | SP | 118 535 | 1,3 | 2 |
| AOV | 325 997 | 3,6 | 6 | Unie 55+ | 77 953 | 0,9 | 1 |
| Groen Links | 310 292 | 3,5 | 5 | Overige | 160 781 | 1,7 | – |
| CD | 220 333 | 2,5 | 3 | | | | |

de uitslag
de stem
het percentage
de zetel

### Nadruk geven

**met name** – Lees jij wel eens een roddelblad?
– Ja, soms. Met name bij de kapper.

– Waar denkt u aan, bij nog meer bezuinigingen?
– Dan denk ik met name aan de bewapening.

**vooral** – Wat vind je belangrijk als je Nederlands leert?
– Nou, vooral woorden hè?

– Heb je vaak interviews met politici?
– Ja wel, vooral voor de verkiezingen.

## C 4 Gesprek met een activist

Nederland heeft niet alleen veel politieke partijen, maar ook veel actiegroepen. Ineke Peters is lid van zo'n actiegroep.

*journalist* Ineke, jij bent lid van de actiegroep 'Brandnetel'. Wat is 'Brandnetel'?
5 *Ineke Peters* 'Brandnetel' is een milieugroep.
*journalist* Waar protesteren jullie tegen?
*Ineke Peters* Nou, wij protesteren onder andere tegen het gebruik van de auto.
*journalist* Wat voor soort acties voeren jullie?
10 *Ineke Peters* O, onze acties zijn meestal grappig. Zo proberen we op te vallen en de mensen aan het denken te zetten.
*journalist* Kun je een voorbeeld geven?
*Ineke Peters* Ja, we hebben pas geprotesteerd tegen het grote aantal auto's in ons land. We zijn naar een grote autotentoonstelling
15 gegaan. En daar hebben we actie gevoerd. Ik was toen boom.
*journalist* Boom?
*Ineke Peters* Ja kijk, omdat er zoveel auto's zijn, komt er zure regen en daardoor gaan de bomen dood. Andere mensen lagen op de grond, met tomatenketchup op hun gezicht.
20 *journalist* Hoezo?
*Ineke Peters* Nou, de auto's veroorzaken namelijk ook veel verkeersslachtoffers.

*journalist* Jaja. Ben jij ook voor harde acties, bijvoorbeeld auto's kapot maken?
*Ineke Peters* Nee, daar ben ik tegen. Ik ben tegen geweld.
25 *journalist* Bedankt voor dit interview.
*Ineke Peters* Nou, graag gedaan.

de activist
de actiegroep
de milieugroep
protesteren (tegen)
onder andere
de auto
actie voeren
grappig
opvallen
aan het denken zetten
de autotentoonstelling
toen
de boom
de zure regen
doodgaan
de grond
de tomatenketchup
het gezicht
hoezo
veroorzaken
het verkeersslachtoffer
jaja
ergens voor/tegen zijn
het geweld

## Voor of tegen iets zijn

**Ik ben voor ...**

- Voor welke voetbalclub ben jij?
- Ik ben voor Ajax. En jij?

- Bent u voor acties?
- Ja, daar ben ik voor.

**Ik ben tegen ...**

- Vind je dat winkels ook 's avonds open moeten zijn?
- Nee, daar ben ik tegen.

- Bent u voor geweld?
- Nee, ik ben tegen geweld.

## Iets verduidelijken

**namelijk**

- Zullen we dat gesprek om negen uur doen?
- Liever iets later, ik moet namelijk met de trein komen.

- Sommige mensen speelden slachtoffer.
- Hoezo?
- Nou, de auto's veroorzaken namelijk ook veel verkeersslachtoffers.

**dat wil zeggen**

- Help je mij met het organiseren van dat feest?
- Ja, ik weet het niet, eh... dat wil zeggen, ik heb eigenlijk geen tijd.

- In de enquête stond ook een vraag over de besteding van het geld.
- Waarover?
- Over de besteding van het geld, dat wil zeggen: wat doet de Nederlandse overheid ermee?

## C 5 Poetry International

Op *Poetry International* lezen dichters uit de hele wereld hun gedichten voor.
Ze doen dit in hun eigen taal. Het volgende gedicht is van Remko. Hij is geen dichter.
Remko stuurde zijn gedicht naar *Poetry International* en... het werd voorgelezen!
Wat vindt u ervan?

DE OMVALLENDE BOOM
KRR KRRR
KRRRR KRRRRR
KRRRRRR KRRRRRRR
KRRRRRRRR KRRRRRRRRR
KRRRRRRRRRRAAK ZWOESJ

Uit: Folder *Stichting Poetry International*, Rotterdam.

| | |
|---|---|
| de dichter | de taal |
| voorlezen | omvallen |
| het gedicht | |

*Breyten Breytenbach*

## D 6 Meningen over politiek

*Benji uit India:*
'Ik heb zin om te stemmen, maar ik kan niet kiezen, want ik vind geen enkele partij goed. Niet alleen hier maar ook in mijn eigen land.'

*Thérèse uit Duitsland:*
'Kijk, van de Nederlandse politici weet ik nog niet zoveel.
Ik koop altijd een Duitse krant. Het is voor mij veel makkelijker iets
5 over Duitse politici te lezen, want ik ken de personen. En ik kan ze ook nog plaatsen in hun partijen. Kijk, voor mij is de Nederlandse krant moeilijk te lezen, want ik weet niet welke persoon bij welke partij hoort, en welke ideeën die partijen hebben.'

*Christine uit Engeland:*
'Stemmen vind ik absoluut belangrijk, zowel voor Nederlanders als
10 voor de buitenlanders. Want als je geen stemrecht hebt, heb je ook
geen recht om je mening mee te laten tellen. Ja, voor mij klopt het niet
dat mensen in een land wonen en daar belasting moeten betalen,
werken en al hun plichten doen, zonder dat ze het recht hebben om te
stemmen.'

*Rui Frederico uit Kaapverdië:*
15 'Ik woon al lang in Nederland en ik vind stemmen belangrijk. Toch
weet ik niet veel van politiek. Er wordt zoveel gepraat. Dus stem ik
maar op een christelijke partij, want ik ben een christen.'

*Liesbeth uit Nederland:*
'Ik stem altijd al op de VVD. Een grote partij heeft meer invloed dan
een kleine. In Nederland zijn een paar grote partijen. Daar moet ik
20 tussen kiezen. De VVD heeft het beste programma, vind ik.'

Naar: Joop Hart, *Filter*. Verkiezingen, Wolters-Noordhoff, Groningen 1986.

makkelijk
Duits
plaatsen
horen bij

stemmen
zowel... als...
het stemrecht
meetellen

de belasting
zonder
christelijk
de christen

de invloed
het programma

## Een toelichting geven

**omdat** (+ bijzin)

- Ga je die tweedehands computer nog kopen?
- Ik denk het niet.
- O, waarom niet?
- Omdat ik hem te duur vind.

- Jij gaat altijd stemmen hè?
- Ja.
- Waarom eigenlijk?
- Nou, ik stem omdat ik dat belangrijk vind.

**want** (+ hoofdzin)

Ik kom vanavond niet, want ik moet werken.
Ze koopt een broodje, want ze heeft honger.
Benji stemt niet, want hij kan niet kiezen.

## E 7 Bhutan (1)

Een avond in september. De mensen van de Amnesty-schrijfgroep uit Groningen-stad zitten bij elkaar. Ze schrijven. Dan komt er iemand binnen. 5 Het is Ratan Gazmere uit Bhutan, oud-politiek gevangene en mensen-rechtenactivist. Hij komt de groep bedanken voor alles 10 wat ze voor hem en zes andere gevangenen heeft gedaan. Ze zijn vrij!

De groep heeft twee jaar lang meer dan tweehonderd 15 brieven gestuurd en enkele honderden kaarten naar de regering in Thimphu, de hoofdstad van Bhutan. De groep vraagt steeds beleefd om de vrijlating van Deodatta Sharma. 20 Sharma is één van een groep van zeven politieke gevangenen die in 1989 zijn opgepakt. Van die groep komt Gazmere in 1991 als eerste vrij. Drie jaar later wordt Sharma vrijgelaten.

25 'Het was soms moeilijk,' zegt Karel Viel van de Amnesty-groep. 'Je moet veel geduld hebben voor dit soort acties. Je weet bijna niets van de gevangene. Niet waar hij gevangen zit, 30 niet hoe.'
'Maar het werkt,' zegt Gazmere. Hij vindt het leuk nu de groep te ontmoeten die voor hem actie heeft gevoerd. 'Het leven van Deodatta, mij 35 en de vijf anderen is gered door de brieven van Amnesty.'

Naar: Wordt Vervolgd 10, *Bhutan*, p.32, oktober 1994.

## E 8 Bhutan (2)

Een land met één krant, een land met één radiostation, een land zonder tv-programma's, een land waar de mensen hun tv alleen mogen gebruiken om videobanden te bekijken... Bestaat zo'n land in 1995? Ja, het bestaat! Bhutan heet het. Er wonen 700.000 mensen en het is iets groter dan Nederland. Het ligt in de Himalaya, tussen China en India. Er wonen veel boeddhisten. Er zijn twee media: de *Kuensel* (de nationale krant van Bhutan) en de radio. De *Kuensel* is een weekblad waar zeven journalisten werken. Elke zaterdag is de krant er in drie talen: Engels, de nationale taal Dzongkha en Nepali.

Naar: Marc van den Broek en Piet van Seeters, 'In Bhutan is de jeugd nog niet door tv verpest', *de Volkskrant*, 1 maart 1995.

# 12 Mag ik jullie even onderbreken?

## A 1 Op een feest

| | | |
|---|---|---|
| | *Alex* | Neem me niet kwalijk, maar woon jij in Utrecht? |
| | *Bettie* | Ja, dat klopt. |
| | *Alex* | Ja, sorry dat ik even stoor. |
| | *Michel* | O, dat geeft niet, hoor. Ga je gang. |
| 5 | *Alex* | Ik hoor net dat jij hier met de auto bent. Kan ik straks met je meerijden? |
| | *Bettie* | Goed, maar waar woon je? |
| | *Alex* | In de Tulpstraat, vlak bij het station. |
| | *Bettie* | Ja, prima, daar kom ik toch langs. |
| 10 | *Sylvia* | Sorry jongens, mag ik jullie even onderbreken? |
| | *Michel* | Jij altijd, Sylvia. |
| | *Sylvia* | Ja, er staan allemaal lekkere hapjes op tafel. Nemen jullie? |
| | *Michel* | Ja lekker, we nemen zo. |

| | |
|---|---|
| storen | langskomen |
| ga je gang | de jongen |
| meerijden | onderbreken |
| vlak (bij) | allemaal |
| prima | het hapje |

## A 2 Een lastig gesprek

| | | |
|---|---|---|
| | *Dora Reitsma* | U wilt me spreken over problemen op uw afdeling? |
| | *Wim Kaptein* | Ja, ik vind dat het de laatste tijd niet goed gaat. Volgens mij is het zo dat … |
| 5 | *Dora Reitsma* | Moment, met Dora Reitsma … Sorry John, maar voordat je verder gaat … Ik zit net midden in een belangrijk gesprek. Kan ik je zo even terugbellen? … Okee … ja … doe ik … dag lieverd … |
| 10 | | Eh … goed eh, waar waren we gebleven? |

| | |
|---|---|
| de laatste tijd | de lieverd |
| voordat | blijven |
| midden (in) | |

## Iemand onderbreken

**Neem me niet kwalijk, maar ...**

- Neem me niet kwalijk, maar woon jij in Utrecht?
- Ja, dat klopt.

- Neemt u me niet kwalijk, maar kan ik hier even bellen?
- Ja natuurlijk. De telefoon staat daar.

**Mag ik u even onderbreken?**

- Dan hebt u een zone te weinig gestempeld. U moet *f* 60,– betalen en...
- Mag ik u even onderbreken? Wat bedoelt u precies?

- Sorry jongens, mag ik jullie even onderbreken?
- Jij altijd, Sylvia.

**Ogenblik/Moment.**

- Dus je begrijpt dat ik het heel moeilijk vind met...
- O, een ogenblikje, de telefoon gaat.

- Volgens mij ...
- Moment, met Dora Reitsma.

**Sorry (...), maar ...**

- U kunt bij ons goedkoop boeken kopen. U...
- Sorry, maar ik ben niet geïnteresseerd.

- Hallo Dora, ik wilde je even spreken over vanmiddag...
- Sorry John, maar voordat je verder gaat...

## B 3 Op het postkantoor

*klant* Mag ik even iets vragen?
*lokettist* Moment meneer, ik ben even bezig!
*klant* Ik wil alleen even weten of ik hier een aangetekende brief kan halen.
*lokettist* Loket zeven, meneer.
*klant* Dank u wel.

bezig zijn (met)

## B 4 Op een vergadering

*voorzitter* … Dus ik hoop dat de R.v.B. met het plan akkoord gaat. Dan kunnen we beginnen.
*Anne Zeilstra* Ik heb even een vraag.
*voorzitter* Een ogenblik graag, ik ben zo klaar.
*Anne Zeilstra* Ik wil alleen vragen wat u met R.v.B. bedoelt.
*voorzitter* R.v.B.? Raad van Bestuur.
*Anne Zeilstra* Dank u wel.
*voorzitter* Goed, dan kom ik nu bij het laatste punt …

| | |
|---|---|
| de vergadering | akkoord gaan (met) |
| de voorzitter | de Raad van Bestuur |
| het plan | het punt |

## B 5 Bij een lezing

*Simon de Wit* … en daarom is het taoïsme de grootste godsdienst in China.
*Leen Toren* Ik wil graag iets vragen. Er zijn toch ook veel boeddhisten in China?
*Simon de Wit* Ja, dat komt zo. U moet me even laten uitspreken. Over het boeddhisme ga ik het straks hebben.
*Leen Toren* O, neemt u me niet kwalijk.

| | |
|---|---|
| het taoïsme | het boeddhisme |
| de godsdienst | uitspreken |
| de boeddhist | |

## Het woord vragen

| | |
|---|---|
| **Mag ik (even) iets zeggen/vragen?** | – Mag ik even iets vragen?<br>– Moment meneer, ik ben even bezig! |
| **Ik heb (even) een vraag.** | – Ik heb even een vraag.<br>– Een ogenblik graag, ik ben zo klaar. |
| **Ik wil (graag) iets zeggen/vragen.** | – Daarom is het taoïsme de grootste godsdienst in China.<br>– Ik wil graag iets vragen. Er zijn toch ook veel boeddhisten in China? |

## C 6 Tijdens de les

*docent* We gaan door met oefening drie. Wie is er aan de beurt? Jorge?
*Jorge* Nee, ik wil even iets vragen. Krijgen we vandaag geen test?
*docent* Ja, het is goed dat je dat zegt. Dat was ik vergeten. Dan doen we eerst de test en daarna gaan we verder met oefening drie.
5 *Irene* Mag ik nog iets vragen over de vorige les?
*docent* Natuurlijk, ga je gang.
*Irene* Wat is een actiegroep?
*docent* Dat heb ik de vorige keer uitgelegd.
*Irene* Ja, maar ik weet niet meer precies wat dat betekent.
10 *docent* Een actiegroep voert actie voor iets. Voor beter onderwijs, meer films op de televisie of voor een schoner milieu. Zijn er nog andere vragen? Nee? Dan beginnen we met de test.
*Ibrahim* Neemt u mij niet kwalijk, maar ik heb toch nog een vraag.

| | | |
|---|---|---|
| | *docent* | Nou, zeg het maar. |
| 15 | *Ibrahim* | Kunnen wij niet eerst het huiswerk bespreken, voordat we de test maken? |
| | *docent* | Nee, geven jullie je huiswerk maar aan mij. Dan kijk ik het na, terwijl jullie de test maken. Daarna kunnen we het huiswerk bespreken. |
| 20 | *Jorge* | Hoeveel tijd hebben we voor de test? |
| | *docent* | Twintig minuten. Nadat ik test heb uitgedeeld, kunnen jullie beginnen. |

| | | | | |
|---|---|---|---|---|
| tijdens | de test | vorig | het huiswerk | uitdelen |
| de docent | vergeten | uitleggen | nakijken | |
| doorgaan | daarna | schoon | bespreken | |
| de oefening | verder gaan (met) | het milieu | nadat | |

## Indirecte zinnen

### Vragen

**1 Vragen met een vraagwoord:** *vragen, weten, … + wie, wat, hoe, …*

Wie heeft dat gezegd?
Hoe laat is het?

| | | | |
|---|---|---|---|
| Ze weet niet | wie | dat | gezegd heeft. |
| Kunt u mij zeggen | hoe | laat het | is? |
| Ik wil vragen | wat | de koers van de dinar | is. |

**2 Ja/nee-vragen:** *vragen, weten, … + of*

Verkoop je die auto nog?
Komt hij met de trein?

| | | | |
|---|---|---|---|
| Ik wil graag weten | of | je die auto nog | verkoopt. |
| Hij heeft niet gezegd | of | hij met de trein | komt. |
| Ik wil alleen vragen | of | ik hier een aangetekende brief | kan halen. |

### Mededelingen

Ik vind haring niet lekker.
Ik weet het niet.

| | | | |
|---|---|---|---|
| Ik weet wel | dat | je haring niet lekker | vindt. |
| Ze zegt toch | dat | ze het niet | weet. |
| Ik weet | dat | het de laatste tijd niet zo goed | gaat. |

# Eerst..., dan...

**Eerst, dan, daarna, nadat, voordat, terwijl**

1 *Acties die niet op hetzelfde moment gebeuren*

Eerst eet ik een broodje, dan (daarna) schrijf ik een brief.
Ik eet een broodje, voordat ik een brief schrijf.
Nadat ik een broodje heb gegeten, schrijf ik een brief.

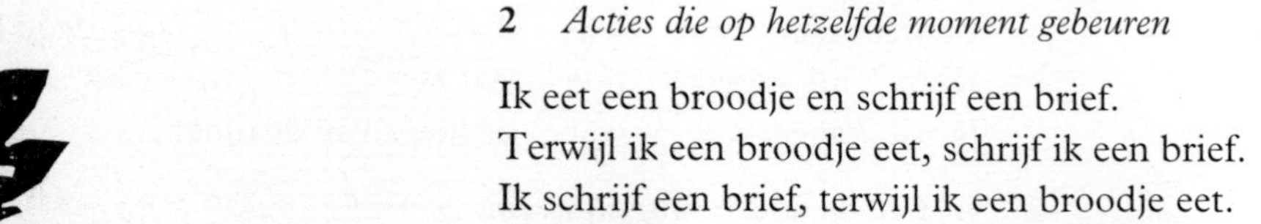

2 *Acties die op hetzelfde moment gebeuren*

Ik eet een broodje en schrijf een brief.
Terwijl ik een broodje eet, schrijf ik een brief.
Ik schrijf een brief, terwijl ik een broodje eet.

## D 7 Gebaren

**Oost-Europa**
Een wijsvinger op je neus. Dat betekent: je wil iets niet, je voelt je er te goed voor. Hoe je erbij kijkt, is ook belangrijk: je blik moet hetzelfde 'zeggen'.

**Turkije**
Dit betekent: 'Het is klaar, we stoppen ermee'. Je veegt met je ene hand je andere hand leeg.

**Nederland**
Dit betekent: je bent gek! Iemand wijst met zijn wijsvinger naar z'n voorhoofd.

**Zuid-Italië**
De hand draait om een uitgestoken wijsvinger. In Zuid-Italië betekent dat: 'Niets mee te maken'.

Naar: *Op Pad*, september/oktober 1994 en *Op Pad*, december 1994/januari 1995.

| | | | |
|---|---|---|---|
| het gebaar | de blik | ene..., andere... | uitsteken |
| de wijsvinger | hetzelfde | gek | niets mee te maken |
| de neus | vegen | wijzen | |
| zich te goed voelen (voor) | leeg | het voorhoofd | |

## D 8 Het weer (1)

**Droog**
Wolkenvelden en droog. In de ochtend mogelijk enkele mistbanken. Middagtemperatuur rond 8 graden. Zondag droog en kans op mist. Na het weekend meer wind en toenemende kans op regen.
Pagina 2: Weeroverzicht.

| | | |
|---|---|---|
| het weer | de middagtemperatuur | de wind |
| droog | rond | toenemend |
| het wolkenveld | de graad | de pagina |
| mogelijk | kans op | het weeroverzicht |
| de mistbank | de mist | |

## E 9 Het weer (2)

Je gezicht
is je eigen weerbericht
als je in de spiegel kijkt
kun je je eigen bui zien
hangen

Je kijkt zo donker
zit er een wolkje
in je oog?

Dat wordt storm
zo te zien
en misschien
een gekke bui

Uit: Jan 't Lam, *Ik heb wel eens een bui.* Den Haag, Leopold, cop. 1985.

## E 10 Als de sirene gaat…

### En als òns nou eens een ramp overkomt?

De sirene gaat, of de geluidswagens rijden rond, om u te waarschuwen.

### Wat moet u als eerste doen?

1. Ga direkt naar binnen.

2. Sluit deuren en ramen.

3. Zet radio of TV aan.

Bewaar deze kaart op een handige plek. In uw meterkast bijvoorbeeld. Dan weet u 'm altijd te vinden als de nood aan de man is. Wel zo veilig. Want 't wordt pas echt een ramp als je niet weet wat je moet doen.

### And what if a calamity were to happen here?

The sirens will go off or loudspeaker vans will drive round the streets with warning announcements.

What you should do first:

1. Go inside at once.
2. Close doors and windows.
3. Switch on your radio or T.V.

---

ماذا لو أن كارثة وقعة لنا ؟

ستنطلق صفارات الانذار،
وسوف تدور السيارات التي تطلق أصوات الانذار لتحذيرك.

فماذا عليك أن تعمل ؟

١- أدخل مباشرة للداخل .
٢- أغلق الأبواب والنوافذ .
٣- أشعل الراديو أو التليفزيون .

---

### Ya, basısmıza bir felâket gelecek olursa?

O zaman sizleri ikaz etmek için sirenler çalar, ya da hoparlörü arabalar dolaşırlar.

İlk olarak ne yapmanız gerekir?

1. Derhal içeri giriniz.
2. Kapıları ve pencereleri kapatınız.
3. Radyoyu ya da televizyonu açınız.

Bron: *Gemeentelijke informatie* over rampenbestrijding 'En als ons nou eens een ramp overkomt?'

# 13 Viel het mee of tegen?

## A 1 Op zoek naar een kamer

| | | |
|---|---|---|
| | *Gerrit Keizer* | Zeg, die kamer waar je het laatst over had, is dat nog wat geworden? |
| | *Theo de Zeeuw* | In de Parnassiastraat, bedoel je? O nee, dat viel erg tegen. |
| | *Gerrit Keizer* | Hoezo, was het een kleine kamer? |
| 5 | *Theo de Zeeuw* | Nou, dat viel nog wel mee, hij was vier bij vijf. |
| | *Gerrit Keizer* | Was het een zolderkamer? |
| | *Theo de Zeeuw* | Nee, het was een kamer op de begane grond, naast de keuken. Maar er was veel te weinig licht, vond ik. |
| | *Gerrit Keizer* | En je had zeker geen douche? |
| 10 | *Theo de Zeeuw* | Ja, toch wel, ze hadden een soort douchecabine in de keuken gemaakt. |
| | *Gerrit Keizer* | En die kamer lag naast de keuken? Dat is een voordeel. |
| | *Theo de Zeeuw* | Ik vind het juist een nadeel. Je hoort dan alle geluiden uit de keuken. |
| 15 | *Gerrit Keizer* | Ja, daar heb je gelijk in. Hoeveel was de huur eigenlijk? |
| | *Theo de Zeeuw* | *f* 450,–. |
| | *Gerrit Keizer* | Belachelijk! Dat is toch veel te duur! Gas en licht inbegrepen? |
| | *Theo de Zeeuw* | Ja, het was wel all-in, maar ik vind het ook te duur. |
| | *Gerrit Keizer* | En nu? |
| 20 | *Theo de Zeeuw* | Ik ga maar weer verder zoeken. Weet jij toevallig niets? |
| | *Gerrit Keizer* | Nee, al sla je me dood. Maar als ik wat weet, dan hoor je het meteen. |

•Aangeboden: 1KAMER *f* 450,- of grote kamer *f* 600,- met gebruik van keuken, douche, toilet, inclusief gas en licht, met maand borg. Kom kijken op donderdag 8 december, tussen 12.00 en 18.00 uur. Bushalte 18, 19 en 64 en tram 7. Adres-Amsterdam

| | | | |
|---|---|---|---|
| op zoek naar | de keuken | het nadeel | inbegrepen |
| het hebben over ... | het licht | het geluid | all-in |
| vier bij vijf | de douche | de huur | verder zoeken |
| de zolderkamer | de douchecabine | belachelijk | toevallig |
| de begane grond | het voordeel | het gas | al sla je me dood |

### Positief reageren (2)

**Dat is een voordeel.**
- Dat andere huis ligt in de buurt van mijn werk.
- Dat is een voordeel. Dan hoef je niet meer te reizen.

- En die kamer lag naast de keuken?
- Dat is een voordeel.

**Dat valt mee.**
- Wat kosten ze?
- *f* 59,95.
- O, dat valt mee.

- Was het een kleine kamer?

## Negatief reageren (2)

**Het is een nadeel.**
- Die computer is niet heel erg snel of zo.
- Dat is dan wel een nadeel, vind ik.

- En die kamer lag naast de keuken? Dat lijkt me een voordeel.
- Ik vind het juist een nadeel. Je hoort dan alle geluiden uit de keuken.

**Het valt tegen.**
- Hé, hoe is het op die nieuwe afdeling?
- Nou, het valt een beetje tegen.

- Zeg, die kamer waar je het laatst over had, is dat nog wat geworden?
- O nee, dat viel erg tegen.

## B 2 Bij de familie Kastelein in Almere

*interviewer* Wat vindt u nou zo leuk aan Almere?
*Anja Kastelein* Nou, in de eerste plaats toch wel het huis, hè?
*Henk Kastelein* Ja, dat was de reden waarom wij uit Amsterdam weg wilden.
*interviewer* Woonde u daar niet goed?
5 *Henk Kastelein* Nee, kijk, Amsterdam is natuurlijk een leuke stad, maar wij hadden daar een kleine bovenwoning.
*Anja Kastelein* Ja, altijd maar die trappen op, hè? Ja, we woonden daar drie hoog en toen we die kleine kregen, moest ik altijd met die wandelwagen op en neer.
10 *Henk Kastelein* Dat was niet te doen op den duur. Dus toen we hier een benedenhuis konden krijgen, hebben we dat meteen gedaan.
*Anja Kastelein* En Patrick vindt het ook het einde. Die kan hier lekker in de tuin spelen. En daar zette ik hem op het balkon.
*interviewer* Dus u mist Amsterdam niet?
15 *Henk Kastelein* Nee, niet echt.
*Anja Kastelein* Helemaal niet, ik heb hier een mooie open keuken, een grote woonkamer, en boven drie slaapkamers ...
*interviewer* U hebt het ook leuk ingericht.
*Anja Kastelein* Ja, dat is mijn man, hoor. Die is ontzettend handig. Hij heeft
20 dat wandmeubel in elkaar gezet en die kasten in de keuken.
*Henk Kastelein* Ja, wij hebben gezegd: alles nieuw. Dus we hebben een nieuwe leren bank gekocht en een nieuwe ronde tafel ...

| | |
|---|---|
| *Anja Kastelein* | Ja, alleen dat bureau hadden we ook al in het vorige huis. |
| *interviewer* | U zou niet meer terug willen, begrijp ik? |
| 25 *Henk Kastelein* | Nee, ik niet. |
| *Anja Kastelein* | O nee, voor geen goud! |

| | | |
|---|---|---|
| de familie | het is (niet) te doen | ontzettend |
| de reden | het benedenhuis | handig |
| weg | het einde vinden | het wandmeubel |
| de bovenwoning | het balkon | in elkaar zetten |
| de trap op | missen | de kast |
| drie hoog | een open keuken | leren |
| de kleine | de woonkamer | het bureau |
| de wandelwagen | de slaapkamer | terug |
| op en neer | inrichten | voor geen goud |

## De onvoltooid verleden tijd

### De onvoltooid verleden tijd

Ik werkte toen op een leuke afdeling.
Ze zette Patrick vaak op het balkon.
Hij betaalde me altijd goed.
We reisden veel in die tijd.
Ze woonden daar in een mooi huis.

*a Regelmatige werkwoorden*

Stam + **te(n)**: als de stam eindigt op **t, k, f, s, ch, p** ('t kofschip)
Stam + **de(n)**: in de andere gevallen

| | *maken* | *kussen* | *stoppen* | *leren* | *spelen* |
|---|---|---|---|---|---|
| *stam* | maak | kus | stop | leer | speel |
| *enkelvoud* | maak**te** | kus**te** | stop**te** | leer**de** | speel**de** |
| *meervoud* | maak**ten** | kus**ten** | stop**ten** | leer**den** | speel**den** |

*b Onregelmatige werkwoorden*

Zie Appendix 3; deze werkwoorden moet u uit uw hoofd leren!

**We gebruiken de onvoltooid verleden tijd om te vertellen over situaties uit het verleden.**

Daarbij gaat het vaak om een **gewoonte** of om een **beschrijving**:

- In Amsterdam moest ik altijd met de wandelwagen op en neer. Daar zette ik Patrick op het balkon.
  (Het gebeurde altijd, het was een gewoonte.)
- Het was een kamer op de begane grond, naast de keuken. Maar er was veel te weinig licht. (Een beschrijving van de kamer.)
- In Amsterdam hadden we een kleine bovenwoning. We woonden daar drie hoog. (Een beschrijving van de woning.)

## C 3 Wonen

*Donatella Longhi:*

'In Italië woonde ik met mijn ouders in een klein huis. Het was een huis tussen de bossen. We hadden geen buren en dat vond ik heel leuk, want ik houd niet van buren. We hadden een grote tuin, en onze drie honden waren de hele dag buiten in de tuin aan het spelen. Maar hier in Nederland is het heel anders. We hebben hier geen tuin en we wonen niet tussen bossen, maar tussen drie of vier snelwegen. We hebben buren links, rechts, boven, beneden. Maar omdat ik niet van buren houd, zoals ik net al zei, hebben we geen contact met ze.'

Naar: *Mijn droom en andere verhalen*, Centrum voor Anderstaligen, Nieuwegein, 1984.

*Craig Dijkstra:*

'In het begin vond ik alles in Nederland heel klein. In Amerika heb je veel meer ruimte. Ik woonde daar op een boerderij en ons huis had minstens tien kamers. En nu woon ik op een studentenflat van twaalf vierkante meter! Ik... ik vind wel dat Nederlanders hun huis mooier inrichten dan Amerikanen. In het weekend ga ik vaak naar Gouda, daar woont mijn tante. Die heeft een hele goede smaak. Haar huis is een combinatie van antiek en modern. Zij heeft een marmeren vloer en een prachtige glazen tafel. Maar ook een notehouten kastje uit de achttiende eeuw met een paar zilveren kandelaars. Dat zie je bij ons niet zo veel. Daar maken ze alles van plastic of nylon. En als iets vijftig jaar oud is, noemen ze het al antiek.'

*Jaime Alcantara Portuguez:*

'In Nederland vind ik alles zo grijs. Bij ons in Mexico zie
30 je veel meer kleuren: rood, oranje, geel, paars, rose. Maar
in Nederland is alles grijs. Of blauw of donkerbruin.
Nederlanders zitten ook altijd binnen. Bij ons speelt het
leven zich veel meer op straat af. Dat komt natuurlijk ook
door het klimaat. Als het erg koud is, blijf je liever bij de
35 kachel. Dat vind ik wel een voordeel van Nederland: bijna
overal heb je centrale verwarming, in huizen, scholen en
openbare gebouwen. In Mexico kan het ook heel koud
zijn. Maar de meeste huizen hebben geen verwarming.'

de ouder
het bos
de buur
de hond
de snelweg
beneden
het contact
in het begin
de ruimte
de boerderij
minstens
de studentenflat
de Amerikaan
de tante
de combinatie
antiek
modern
de vloer
marmeren
prachtig
glazen
notehouten
achttiende
de eeuw
de kandelaar
zilveren
plastic
nylon
noemen
grijs
oranje
paars
rose
donkerbruin
zich afspelen
dat komt door…
het klimaat
koud
de kachel
de centrale verwarming
het gebouw

## Oppervlakte

**... bij ... (meter)**

- Hoe groot is jouw keuken?
- Nou, ongeveer drie bij vier.

- Was het een kleine kamer?
- Dat viel nog wel mee, hij was vier bij vijf.

**... vierkante meter ($m^2$)**

- Hoeveel extra ruimte heb je nodig?
- Nou, zo'n 20 $m^2$.

- En waar woon je nu?
- In een studentenkamer van twaalf vierkante meter.

## Het bijvoeglijk naamwoord (2)

### Van sommige bijvoeglijke naamwoorden verandert de vorm niet

1 *Bijvoeglijke naamwoorden op -en:* **glazen, leren, marmeren, open, gebakken, ...**

- Ik heb een mooi leren jack gezien, joh.
- Ja? Vertel eens, hoe zag het eruit?

- Een uitsmijter? Wat is dat?
- Een uitsmijter is een boterham met een gebakken ei en ham.

- Die tante van mij heeft een heel goede smaak. Ze heeft een marmeren vloer en een prachtige glazen tafel. Maar ook een notenhouten kastje uit de achttiende eeuw met een paar zilveren kandelaars.

2 *Sommige kleuren en materialen:* **rose, oranje, plastic, nylon, ...**

- Hoe vind je deze rose sjaal?
- Nou, niet zo mooi.

- Je kunt beter je nylon jack aantrekken met die regen.
- Ja, inderdaad. Het regent nu wel erg hard.

- Jij drinkt altijd koffie uit een plastic kopje, hè? Dat lijkt me niet goed voor het milieu.
- Ach, jij altijd met je milieu.

## D 4 Brand: voorkomen is beter dan genezen

Niet voor niets is er dit jaar weer een 'brandpreventieweek'. Brand komt dagelijks voor. Elk jaar vallen er bij brand in huis vele doden en gewonden. Veel van deze branden kunt u eenvoudig voorkomen.

5 Brand komt vaak door (onder andere):
- roken in een luie stoel of in bed;
- de vlam in de pan;
- een kachel die niet goed schoon is;
- te weinig ruimte rond elektrische apparatuur zoals een
10 tv, radio, koelkast en magnetron.

Wat moet u doen bij brand?
1 Bel onmiddellijk het landelijk alarmnummer 06-11.
2 Sluit alle ramen en deuren.
3 Zorg dat iedereen het huis verlaat en waarschuw de buren.
15 4 Wacht buiten de brandweer op.

Voor meer informatie en folders kunt u bellen: (020) 5114511.

Naar: *De Woonconsument*, oktober 1994.

| | | | |
|---|---|---|---|
| de brand | de dode | elektrisch | zorgen |
| genezen | de gewonde | onmiddellijk | verlaten |
| niet voor niets | roken | landelijk | waarschuwen |
| de brandpreventieweek | lui | het alarmnummer | de brandweer |
| dagelijks | de stoel | sluiten | |
| vallen | de vlam in de pan | het raam | |

D 5

## Hofjes

In veel oude steden vindt men schitterende 'hofjes'. Hofjes zijn groepen kleine huisjes rond een grote tuin. Die tuin is voor alle mensen van het hofje. In zo'n hofje is het meestal heel rustig en stil. Dat laatste is natuurlijk heel speciaal voor iets dat midden in de stad ligt!
De meeste hofjes zijn uit de zeventiende en achttiende eeuw. Ze zijn gemaakt door rijke families. De hofjes waren bedoeld voor oude vrouwen die alleen waren. Zij mochten er wonen zonder te betalen, soms kregen ze ook eten en drinken. Er waren wel allerlei strenge regels. Er mochten bijvoorbeeld 's avonds geen mannen komen. Mannen mochten ook beslist niet blijven slapen.
Ga eens een keer achter de deuren van zo'n hofje kijken. Enkele hofjes hebben gesloten deuren, maar bij de meeste hofjes kun je zo naar binnen.
Het is echt de moeite waard eens eens door zo'n hofje te wandelen. Wie wil kan informatie vragen bij de VVV:

De *Stichting Haags Gilde* organiseert hofjeswandelingen.
Informatie tussen 9.00 en 12.30 uur, 070-3429590.

Naar: *ANWB Kampioen*, januari 1995.

| | | | |
|---|---|---|---|
| het hofje | speciaal | de regel | de moeite waard zijn |
| schitterend | rijk | achter | de hofjeswandeling |
| stil | streng | gesloten | |

## E 6 Het lied van Mustafa

Het huis waar ik woon, heeft wel erg dunne muren
en we wonen te dicht op een kluit.
Dus een klein beetje herrie geeft ruzie met buren
en zo'n ruzie maakt ook weer geluid.

Men wil in dit land dat we heel anders leven,
ook al zijn we hier soms nog maar kort.
Maar mijn oom in Marokko heeft laatst nog geschreven
dat ik veel te Nederlands word.

Ik zal deze buurt op den duur wel verlaten,
alhoewel ik er toch wel van hou.
Maar ik wil wel eens hard kunnen zingen en praten
en ik wil wel eens weg uit de kou.

Er is een land waar ze niet meteen vloeken,
er is een land waar ik dikwijls van droom.
Daar zal ik zelf wel een meisje gaan zoeken,
tot verdriet van mijn vader en oom.

*Willem Wilmink*

Uit: *Verzamelde liedjes en gedichten*. Amsterdam, Uitgeverij Bert Bakker 1986.

## E 7 Een plafond vol gedichten

In de hal van de Vrije Universiteit in Amsterdam hangen aan het plafond... gedichten! Ze zijn gemaakt door studenten en medewerkers tijdens het 'Decemberproject'. Hier volgen twee gedichten. Als je goed op de foto kijkt, zie je ze links en rechts aan het plafond hangen.

Soms sta ik
stil om te
luisteren
naar het
leven

Naar: *Ad Valvas*, 8 december 1994.

Je bent zo
mooi
anders
dan ik

natuurlijk
niet meer of
minder
maar

zo mooi
anders

ik zou je
nooit
anders dan
anders willen

*Hans Andreus.*

# 14 Van harte beterschap!

## A 1 Bij de huisarts

*dokter Mulder* Mevrouw Werner.
*Margret Werner* Ja.

*dokter Mulder* Goedemorgen, mevrouw Werner.
*Margret Werner* Dag dokter.
5 *dokter Mulder* Wat kan ik voor u doen?
*Margret Werner* Ik heb de laatste tijd zo'n last van hoofdpijn. Ja, iedereen heeft natuurlijk wel eens hoofdpijn, maar dit is wel wat anders, want het gaat maar niet over. Daar maak ik me een beetje zorgen over.
*dokter Mulder* Hoe lang heeft u daar al last van?
10 *Margret Werner* Eh... een paar weken.
*dokter Mulder* Heeft u het de hele dag?
*Margret Werner* Nee, vooral op mijn werk.
*dokter Mulder* Wat doet u voor werk?
*Margret Werner* Ik werk op een kantoor. Ik zit regelmatig achter een computer.
15 *dokter Mulder* Bent u vaak verkouden?
*Margret Werner* Af en toe.
*dokter Mulder* Last van duizeligheid?
*Margret Werner* Nee.
*dokter Mulder* Heeft u moeite met lezen?
20 *Margret Werner* Ja, af en toe.
*dokter Mulder* Dan zullen we eerst de bloeddruk eens meten ... Hm, die is goed. Buig nu uw hoofd eens naar voren. Doet dat pijn?
*Margret Werner* Nee, dat doet geen pijn.
*dokter Mulder* Ik denk dat u hoofdpijn heeft omdat uw ogen achteruitgegaan zijn.
25 Waarschijnlijk heeft u een bril nodig.
*Margret Werner* O, gelukkig.
*dokter Mulder* Hoezo?
*Margret Werner* Nou, ik was bang dat het iets ernstigs was.
*dokter Mulder* Nee, daar lijkt het niet op. Ik zal u een verwijsbriefje voor de
30 oogarts geven. Hoe bent u verzekerd, eh... ziekenfonds of particulier?
*Margret Werner* Ziekenfonds.
*dokter Mulder* Alstublieft.
*Margret Werner* Dank u wel. Tot ziens dokter.
*dokter Mulder* Dag mevrouw Werner.

de huisarts
de dokter
wat kan ik voor u doen?
last hebben van
de hoofdpijn
overgaan
zich zorgen maken (over)
het kantoor
regelmatig
verkouden
af en toe
de duizeligheid
de bloeddruk
buigen
het hoofd
naar voren
pijn doen
achteruitgaan
waarschijnlijk
de bril
gelukkig
ernstig
de verwijsbrief
de oogarts
verzekerd
het ziekenfonds
particulier

## Zeggen dat je ongerust bent

**Ik ben bang dat ...**

- Wat ben je toch stil vandaag, is er iets?
- Ja, ik ben bang dat ik de test niet goed heb gemaakt.

- Waarschijnlijk heeft u een bril nodig.
- O, gelukkig! Ik was bang dat het iets ernstigs was.

**Ik ben bang voor ...**

- Hoe is de situatie nu in jouw land?
- Nou, ik ben echt bang voor oorlog.

- Bent u niet bang voor de concurrentie van videofilmers?
- Nee, daar ben ik niet bang voor.

**Ik maak me zorgen over ...**

- Hoe is het met je moeder?
- Nou, ik maak me zorgen over haar. Het gaat niet zo goed.

- Wat kan ik voor u doen?
- Ik heb zo'n last van hoofdpijn. Daar maak ik me zorgen over.

## Zeggen dat je pijn hebt

**Ik heb last van ...**

- Ik heb last van mijn hand.
- Dan zou ik even naar de dokter gaan.

- Heeft u last van duizeligheid?
- Af en toe.

**Ik heb pijn in mijn ...**

- Ik heb pijn in mijn knie.
- O, hoe komt dat?

- Wat is er met je?
- Ik heb zo'n pijn in mijn hoofd. Ik ga maar naar huis, denk ik.

**Het/Dat doet pijn ...**

- Heeft u last van uw knie als u loopt?
- Ja, dat doet pijn.

- Buig uw hoofd eens naar voren. Doet dat pijn?
- Nee, dat doet geen pijn.

# A 2 Het lichaam

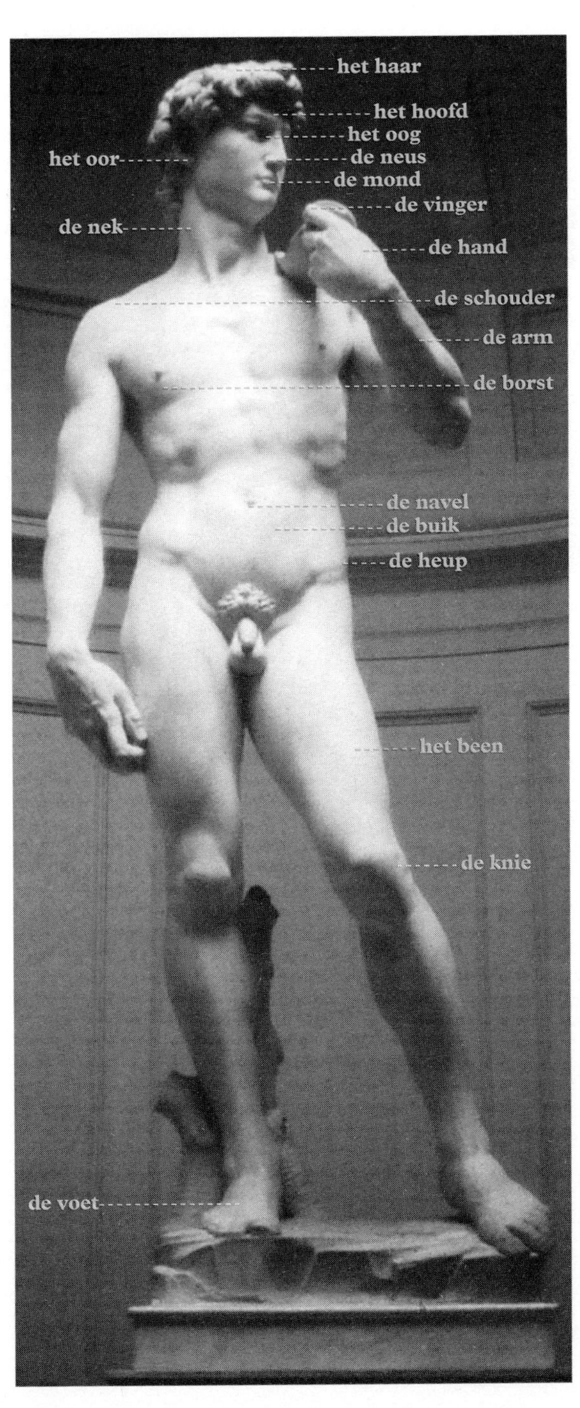


| | |
|---|---|
| het haar | de schouder |
| het hoofd | de arm |
| het oog | de borst |
| het oor | de navel |
| de neus | de buik |
| de mond | de heup |
| de vinger | het been |
| de nek | de knie |
| de hand | de voet |

## B 3 Een afspraak maken

| | | |
|---|---|---|
| | *telefoniste* | Polikliniek Sint Jan. Afsprakenbureau. |
| | *Margret Werner* | Goedemorgen, met mevrouw Werner. Ik wilde een afspraak maken met dokter Lim, de oogarts. Hopelijk hoef ik niet al te lang te wachten. |
| 5 | *telefoniste* | Het kan over twee weken. |
| | *Margret Werner* | O, dat valt mee. |
| | *telefoniste* | Donderdagmiddag 14 april, kan dat? |
| | *Margret Werner* | Eh… ik kan nooit op donderdag. Zou het op een andere dag kunnen? |
| 10 | *telefoniste* | Nee, het spijt me, dokter Lim heeft hier alleen spreekuur op donderdag. |
| | *Margret Werner* | Nou, dan moet het maar op donderdag. |
| | *telefoniste* | Goed, dan noteer ik u voor donderdag 14 april, 15.00 uur. Kunt u uw naam nog een keer zeggen? |
| 15 | *Margret Werner* | Mevrouw Werner. |
| | *telefoniste* | Ik wil ook graag uw adres en telefoonnummer hebben. |
| | *Margret Werner* | Draadzegge 33, in Laren, telefoon 035-5391976. |
| | *telefoniste* | Dank u wel. |

| | |
|---|---|
| de afspraak | de donderdagmiddag |
| de polikliniek | het spreekuur |
| het afsprakenbureau | het moet maar |
| hopelijk | noteren |

## Zeggen dat je opgelucht bent

**O, gelukkig.**
- Irene heeft de trein nog gehaald, hoor.
- O, gelukkig!

- Waarschijnlijk heeft u een bril nodig.
- O, gelukkig. Ik was bang dat het iets ernstigs was.

**Dat valt mee.**
- Er rijden weer bussen vandaag hè?
- O, dat wist ik niet. Nou, dat valt mee. Dan kan ik vanmiddag toch naar de oogarts.

- Het kan over drie weken.
- Nou, dat valt mee.

# C 4 Bij het ziekenhuis

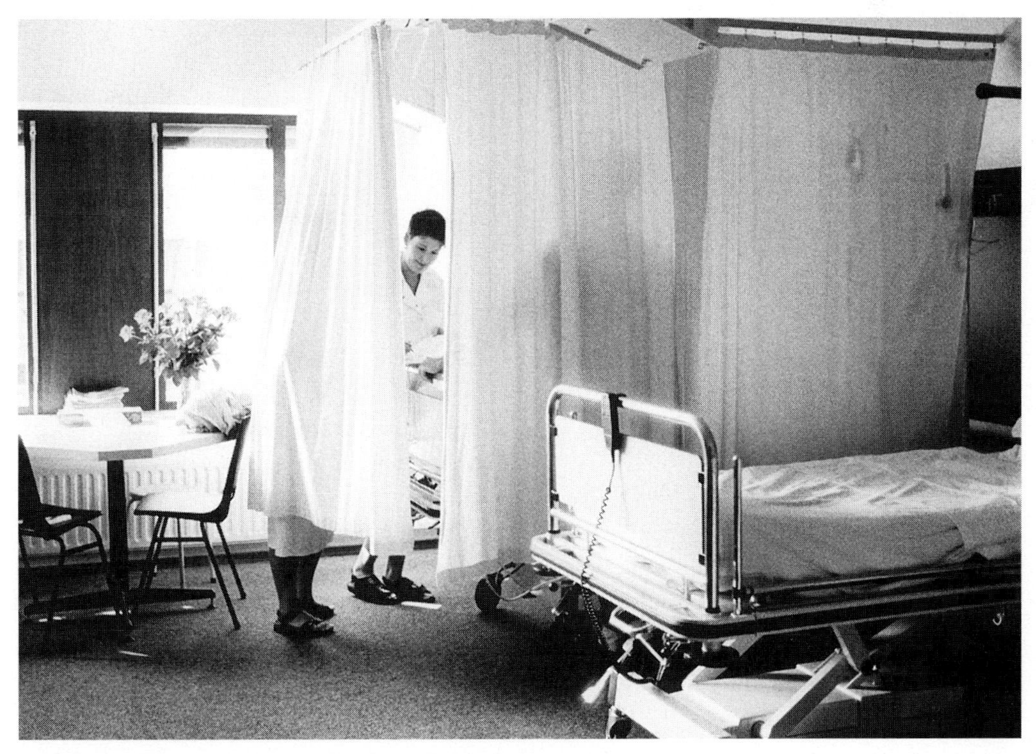

*Jeannette* Hé, hallo Michel, tijd niet gezien, zeg! Hoe gaat het ermee?
*Michel* Goed, dank je.
*Jeannette* En met Andrea?
*Michel* Nou, niet zo goed. Ze ligt al een paar weken in het ziekenhuis.
5 *Jeannette* O ja? Wat scheelt haar?

| | | |
|---|---|---|
| | *Michel* | Ze heeft een ongeluk gehad. Ze ging even boodschappen doen op de fiets en toen heeft een auto haar aangereden. Die man keek niet goed uit. |
| | *Jeannette* | Wat vreselijk! Wat had ze? |
| 10 | *Michel* | Een gebroken been en verder een flinke wond aan haar hoofd. |
| | *Jeannette* | Nee! Wat hebben ze gedaan? |
| | *Michel* | Ze hebben haar geopereerd en een plaat in haar been gezet. Ze heeft heel veel pijn gehad. |
| | *Jeannette* | Moet ze nog lang in het ziekenhuis blijven? |
| 15 | *Michel* | Ik hoop dat ze volgende week weer thuiskomt. |
| | *Jeannette* | Wens haar in ieder geval beterschap van me. |
| | *Michel* | Dat zal ik doen. |
| | *Jeannette* | En jij ook het beste, Michel. |
| | *Michel* | Bedankt. En de groeten aan Robert. |
| 20 | *Jeannette* | Zal ik doen. Dag. |

| | | |
|---|---|---|
| het ziekenhuis | uitkijken | de plaat |
| tijd niet gezien! | vreselijk | thuiskomen |
| het ongeluk | breken | wensen |
| boodschappen doen | flink | in ieder geval |
| de fiets | de wond | (doe) de groeten aan … |
| aanrijden | opereren | (dat) zal ik doen |

## Vragen naar een ziekte

**Wat heeft u?**

- Wat heeft u precies, als ik vragen mag?
- Ik heb erge pijn in mijn nek.

- Ze heeft een ongeluk gehad.
- Wat vreselijk! Wat had ze?
- Een gebroken been en een wond aan haar hoofd.

**Wat scheelt …?**

- Jorge, wat scheelt jou?
- Ik voel me gewoon niet zo lekker vandaag.

- Andrea ligt al een paar weken in het ziekenhuis.
- O ja? Wat scheelt haar?

## Het beste wensen

**Het beste**

- Je hebt dat gesprek morgen?
- Ja, morgenmiddag.
- Nou, het beste hè?

- En jij ook het beste, Michel.
- Bedankt.

**(Van harte) beterschap**

- Ik hoop dat je je gauw wat beter voelt. Van harte beterschap hoor!
- Dank je wel.

- Wens haar in ieder geval beterschap van me.
- Zal ik doen.

## Hoop uitdrukken

**Ik hoop dat ...**

- Ik hoop dat Rob vanavond ook komt.
- Ja, dat zou leuk zijn.

- Moet Andrea nog lang in het ziekenhuis blijven?
- Ik hoop dat ze volgende week weer thuiskomt.

**Hopelijk**

- Hopelijk is de staking morgen over.
- Ja, dat hoop ik ook.

- Hopelijk hoef ik niet al te lang te wachten?
- Het kan over twee weken.
- O, dat valt mee.

## Zeggen dat je iets heel erg vindt

**Nee!**

- Fernando heeft zijn rijbewijs wéér niet gehaald.
- Nee!

- Ze heeft een gebroken been en een wond aan haar hoofd.
- Nee!

**Wat vreselijk!**

- Hij heeft de laatste tijd veel last van zijn hart.
- Wat vreselijk!

- Andrea heeft een ongeluk gehad.
- O, wat vreselijk!

D 5

## Samen met haar opa

In Zuid-Uganda, bij het Victoriameer, ligt een klein plaatsje, Gwanda. Vroeger had niemand van Gwanda gehoord. Nu is het wereldberoemd geworden. Veel mensen zijn namelijk aan aids gestorven.

Het meisje op de foto (uit 1986) is, samen met haar opa, de enige van haar familie die nog leeft. Binnen twee jaar hebben zij iedereen verloren.

Naar: Stichting NOT, *Leerlingenmagazine Aids*, z.j.

de opa
vroeger
wereldberoemd
sterven
verliezen

D 6

## De strijd

In 1981 werd voor het eerst in de Verenigde Staten de ziekte aids geconstateerd. Vanaf dat moment zijn er meer dan 20.000 Amerikanen aan de ziekte gestorven en zijn er anderhalf miljoen Amerikanen met de ziekte besmet. Maar niet alleen in Amerika zorgt aids voor slachtoffers. Ook in de rest van de wereld is de ziekte een enorm probleem aan het worden.

Op dit ogenblik is nog niet duidelijk hoeveel mensen op de wereld de ziekte hebben en/of besmet zijn. Heel veel landen hebben niet de mogelijkheden om dit te onderzoeken. Andere landen willen dit niet. Men denkt dat op dit ogenblik over de hele wereld zo'n 500.000 mensen de ziekte hebben of al gestorven zijn. En dat ongeveer 5 tot 10 miljoen mensen besmet zijn.

De ziekte aids krijg je niet alleen via seks. Ook via bloed kun je besmet worden. Iedereen kan aids krijgen. Maar veel mensen realiseren zich dat niet. 'Aids is
25 een homo-ziekte,' zeggen nog steeds veel mensen. Homo's waren wel de eersten, maar niet de enigen die aids kregen. Al heel snel bleken ook andere groepen het slachtoffer. Zoals junks. Ook kregen
30 mensen in ziekenhuizen besmet bloed van anderen. Wie volgt?
De strijd tegen aids is inmiddels begonnen. Internationaal houdt de Wereld Gezondheidsorganisatie (WHO) zich bezig
35 met aids. Veel Europese landen begonnen tegelijk een anti-aids-campagne. Belangrijk is ook dat mensen leren omgaan met aids. Iedereen, ziek of gezond, dat maakt niet uit. Want misschien is aids over enige tijd
40 een algemene ziekte…

Naar: Stichting NOT, *Leerlingenmagazine Aids*, z.j.

| | | | |
|---|---|---|---|
| de strijd | via | de junk | de anti-aids-campagne |
| de ziekte | de seks | volgen | omgaan met |
| vanaf | het bloed | inmiddels | ziek |
| de rest | zich realiseren | internationaal | gezond |
| enorm | de homo(seksueel) | zich bezighouden met | algemeen |
| besmet | blijken | tegelijk | |

## Weglating persoonsvorm en onderwerp

**Als het onderwerp twee keer in een zin voorkomt, kan het de tweede keer worden weggelaten; vaak samen met de persoonsvorm.**

Ik zit lekker op de bank en (ik) lees een mooi boek.
Die jas is erg duur en (die jas) heeft bovendien niet de goede kleur.
Hij gaat naar de markt en (hij gaat) ook nog even langs Michel.
Ze hebben haar geopereerd en (ze hebben) een plaat in het been gezet.

# E 7 Weekenddiensten

**Weekenddiensten voor zaterdag 3 en zondag 4 december**

**Alarm**
Algemeen alarmnummer politie, brandweer en ambulance (als elke seconde telt): tel.06-11.
Eigen alarmnummers: politie Leiden tel: 224444, politie Leiderdorp tel: 414441; politie Oegstgeest tel: 410041; brandweer tel: 212121; ambulance tel: 233233.

**Huisarts**
**Leiden:** De waarnemende artsen houden spreekuur van 12.00-12.30 uur (alleen spoedeisende medische hulp). Waarneming artsen Crul, A. Hammerstein, D. Hammerstein, De Lorm, De Jong, Kooijman, Prince, Reinders, Wiersma: **zaterdag 8.00 tot zondag 8.00 uur: Dr. Birnie, tel. 06-52780434; zondag na 8.00 uur: S. Kooijman, tel. 06-52708618.** Waarneming artsen Goslinga, Taytelbaum, Van Luyk, Rus, Kruis, Bergmeijer, Nering Bögel, Middendorp, Pufkus, W. de Ruijter, Bakker en De Lange: **zaterdag 8.00 tot zondag 8.00 uur: J. Rus, tel. 132500; zondag na 8.00 uur: F.B. Kruis, tel. 126371.** Waarneming artsen Boels, Delver, Lely, W. de Bruyne, J. de Bruyne, Fogelberg, Huibers, Van den Muijsenbergh, Schaaf en Jurgens: **zaterdag 8.00 tot zondag 8.00 uur: J. de Bruyne, tel. 125245; zondag na 8.00 uur: E.K. Fogelberg, tel. 132877.** Waarneming artsen Van Wingerden, Bénit, Van Rijn, Nieuwenhuis, Horn, Lahr, J. Zaaijer, R. Zaaijer, De Kanter, Paulides en Lodder: **zaterdag 8.00 tot zondag 8.00 uur: E.H. Nieuwenhuis-Smalbraak, tel. 768918; zondag na 8.00 uur: J.G. Zaaijer, tel. 316009.** Waarneming artsen Alkema, Baars, Groeneveld, Janssen, Van leeuwen, Maris, Van der Meer, Meijer, J. de Ruijter, Van Schie, Verhage, Visser: **zaterdag van 8.00 tot 8.00 uur: Y. Groeneveld, tel. 225757; zondag na 8.00 uur: H.A.M.M. Meijer/C.E. v.d. Meer, tel. 225757.**
**Leiderdorp:** zaterdag na 8.00 uur: R. van Velzen, tel. 891100. Zondag: O. du Ry, tel. 891100.
**Oegstgeest:** zaterdag: J.W. de Haan, tel. 170605; zondag: D.L.P. van Overvest, tel. 173994.
**Alkemade:** praktijken Sleeuw, Van Blooijs, Lardenoije: vr. 17.00 tot ma. 01.00 uur: J.G. Lardenoije, tel. 01721-8269. Praktijken Beekhuis, Brock/Roelen, Van Mierlo, Saeys: vr. 17.00 tot ma. 08.00 uur: W. en G. Beekhuis, tel. 01712-8202.
Homeopathisch arts Leiden: P.M.C. van Kempen, tel. 123001.

**Apotheek**

Tot Hulp der Mensheid, Rosmolen 13, Leiden, tel. 211611. Stevenshof, Theda Mansholtstraat 1, Leiden, tel. 313234. Haanraadts, Hoofdstraat 4, Leiderdorp, tel. 419196. Apotheek Alkemade, Rembrandt van Rijnsingel 31, Roelofarendsveen, tel. 01713-19100.

**Tandarts**
J.L.M. Fokke, Hof van Roomburgh 4-6, Leiden, tel. 414233 (t/m 4-12). R. van Eck, Geversstraat 46, Oegstgeest, tel. 174326 (5-11 dec.). Spreekuur om 13.00 uur. Via de telefoonnummers 01713-13798,-15555,-13084 en 13475 verneemt men welke tandarts in Alkemade dienst heeft.

**Spoedhulp**
Bereikbaarheidsdienst buiten kantooruren van het Algemeen Maatschappelijk Werk. Tel: 06-8212141.

**Kruiswerk**
**Leiden:** Thuiszorg Groot Rijnland, tel. 161415 (werkdagen 8.30-17.00 uur). Na 17.00 uur en in weekend tel. 120745. Uitleencentrale verpleegartikelen Van Vollenhovekade 25, tel: 121894. Openingstijden ma-vrij. 9.30-17.00 uur, za 15.00-17.00 uur.
**Oegstgeest:** bereikbaar via tel: 06-52701363.

**Dierenarts**
**Leiden/ Leiderdorp:** A.W. Helder, Hermelijnvlinder 36, Leiden, tel. 220513. **Leiden:** H. Vestjens, Rijn en Schiekade 23, Leiden, tel. 120241. Dierenartsenpraktijk De Mare, mevr. S. Stibbe, Bronkhorststraat 13, tel. 218393. Oegstgeest: Praktijk Duijn/Brandt: R.J.W. Duijn/D.J. Brandt, President Kennedylaan 260, tel. 156161. Praktijk Heemskerk: B.C. Heemskerk, De Kempenaerstraat 21, tel. 176761. Dierenartspraktijk De Wetering, Rembrandt van Rijnsingel 33, Roelofarendsveen, tel. 01713-12540.

**Dierenhulp**
Voor hulp en vervoer gewond geraakte dieren tel: 174141.

**Storingsnummer EWR**
Water (niet in leiderdorp) electriciteit, gas en steadsverwarming tel: 06-0677.

**Geslachtsziekten/aids**
GGD tel: 143604.

**Verloskunde**
Op te roepen via dokterstelefoon 071-122222.

Uit: *Leids Nieuwsblad*, 2 december 1994.

## E 8 Wereldrecord hoesten

**Tekst aan de muur van de Stadsschouwburg Brugge (België):**
We hebben een zachte winter achter de rug. Toch krijgt de directie van de schouwburg veel klachten van publiek en artiesten over hoesten tijdens de voorstelling. Een boze bezoeker telde tijdens de mooie voorstelling *Amadeus* 112 hoestbuien in vijftien minuten! Bij acteurs staat Brugge inmiddels bekend als 'een verkouden stad'. Er blijken mensen in de zaal te zijn die niet begrijpen dat allerlei lawaai (ook biepende horloges) erg storend is. Daarom een vriendelijke vraag aan alle schouwburg-bezoekers om het hoesten en ander lawaai dat storend is zoveel mogelijk te vermijden.

Naar: *Stadsschouwburg Leiden*, info-krant seizoen 1994-95.

## E 9 Hij ligt in de regen

Zijn kattenkeeltje spint
niet meer.
Zijn zachte vachtje glanst
niet meer.
Zijn rode rugje rekt
niet meer.
Zijn open oortje hoort
niet meer
dat ik hem roep.
Nu roep ik hem
niet meer.

*Sieneke de Rooij*

# 15 Moet dat echt?

## A 1 In een buurthuis

| | | |
|---|---|---|
| | *Santiago Ledesma* | Ik wil graag informatie over de cursussen Nederlands. |
| | *Renske Tollenaar* | Wat wilt u weten? |
| | *Santiago Ledesma* | Wanneer beginnen de cursussen? |
| | *Renske Tollenaar* | Dat hangt ervan af. Wilt u zich opgeven voor een beginners- |
| 5 | | of een gevorderdencursus? |
| | *Santiago Ledesma* | Ik weet het niet precies. Misschien een beginnerscursus. |
| | *Renske Tollenaar* | Maar u spreekt al wat Nederlands. Volgens mij kunt u beter een cursus voor gevorderden doen. |
| | *Santiago Ledesma* | O, maar ik spreek maar een heel klein beetje Nederlands. |
| 10 | *Renske Tollenaar* | Maar u bent ook geen echte beginner meer. De beginnerscursus is voor mensen die nog helemaal geen Nederlands spreken. |
| | *Santiago Ledesma* | Wanneer begint die gevorderdencursus? |
| | *Renske Tollenaar* | Volgende week. |
| 15 | *Santiago Ledesma* | Oh, dat is goed. |
| | *Renske Tollenaar* | Nee, nee, dat gaat niet. Alles zit bijna vol. Ik weet niet of er nog plaats is. Dat moet ik eerst even nakijken. |
| | *Santiago Ledesma* | Op welke dag is de cursus? |
| | *Renske Tollenaar* | We hebben een cursus op maandag, dinsdag en donderdag. |
| 20 | *Santiago Ledesma* | Drie keer per week? |
| | *Renske Tollenaar* | Nee, de cursus is één keer per week, op maandagochtend, dinsdagmiddag of donderdagmiddag. |
| | *Santiago Ledesma* | Niet 's avonds? |
| | *Renske Tollenaar* | Nee, alleen overdag. Maar het is niet zeker of we nog plaats |
| 25 | | hebben. Ik kijk even. Nee, het spijt me, alles is al vol. |
| | *Santiago Ledesma* | Wanneer beginnen de volgende cursussen? |
| | *Renske Tollenaar* | Dat is pas over een half jaar. |
| | *Santiago Ledesma* | Kan ik nu toch niet meedoen? |
| | *Renske Tollenaar* | Nee, dat kan echt niet. Ik kan u wel op de wachtlijst zetten. |
| 30 | *Santiago Ledesma* | Nou, doet u dat maar. |

| | |
|---|---|
| het buurthuis | de beginner |
| de cursus | vol zitten |
| zich opgeven (voor) | de maandagochtend |
| de beginnerscursus | de dinsdagmiddag |
| de gevorderdencursus | de wachtlijst |

# A 2 Buurthuis 'de Pancrat'

**Kom ook naar buurthuis 'de Pancrat'! Er zijn nog plaatsen voor de volgende cursussen:**

## Dansen voor kinderen

Elke dinsdagmiddag van 16.00 – 17.00 uur. Voor kinderen van 5 t/m 8 jaar. 12 lessen kosten ƒ 30,–.

## Jongeren: theater & muziek

Elke vrijdag van 14.00 – 17.00 uur. Samen met anderen werken aan een voorstelling: teksten, muziek en decors maken. Hartstikke leuk dus. Het kost niets, alleen tijd!

## Kunst

Voor iedereen die meer van kunst wil weten. Het programma maken we met elkaar. We zullen samen ook enkele musea bezoeken. Docent: Omar Sialiti. 6 avonden voor ƒ 60,– (inclusief musea).

## Koken

Hoe lang moet u aardappels koken? Hoe maakt u een lekkere maaltijd met vis?
Deze vragen komen aan de orde in de cursus 'Koken'. De Hollandse keuken vormt de basis van deze cursus, maar we kunnen natuurlijk ook andere 'landen' proberen. De maaltijden die u maakt, kunt u naar huis meenemen.
Docent: Carolien Zwart.
8 lessen voor ƒ 40,–. Elke woensdag van 19.30 – 22.00 uur.

## Alleen dames

Zin om de avond even alleen met vrouwen door te brengen? Dat kan in buurthuis 'de Pancrat'! Elke dinsdag van 20.00 – 22.30 uur is er een gezellige avond voor vrouwen. Het programma maken we met elkaar. Het kost ƒ 10,– per maand.

Alle cursussen beginnen in de eerste week van maart. U kunt zich inschrijven tot 1 maart. Voor informatie kunt u terecht bij: Buurthuis 'de Pancrat', Middelstegracht 58, 1081 VH Amstelveen, (020)6404362.

| | | | |
|---|---|---|---|
| dansen | hartstikke | de basis | doorbrengen |
| de tekst | de kunst | meenemen | gezellig |
| het decor | aan de orde komen | de dame | zich inschrijven |

## Zeggen dat iets niet zeker is

**Het is niet zeker of ...**

- Heb je Theo ook uitgenodigd?
- Ja, maar het is niet zeker of hij komt.

- Is de cursus niet 's avonds?
- Nee, alleen overdag. Maar het is niet zeker of we nog een plaats voor u hebben.

**Ik weet niet of ...**

- Ga je morgen ook naar Audrey?
- Ja, maar ik weet niet of ik met jullie meega.

- Wanneer begint de gevorderdencursus?
- Volgende week. Maar ik weet niet of er nog plaats is.

**Dat hangt van ... af.**

- Hoe laat neem je de bus?
- Dat hangt ervan af hoe laat de les begint.

- Wanneer beginnen de cursussen?
- Dat hangt ervan af. Een beginners- of een gevordencursus?

- Koop je dat leren jack nog?
- Dat hangt van de prijs af. Als het meer dan *f* 500,– kost, doe ik het niet.

## Geen toestemming geven

**Dat gaat niet.**

- Kan ik hier even bellen?
- Nee, dat gaat niet. Ik wacht namelijk op een telefoontje.

- Ik kom volgende week.
- Nee, dat gaat niet. Dan ben ik op vakantie.

**Het kan niet.**

- Ober, kunnen we bestellen?
- Het kan niet meer. We gaan zo sluiten.

- Kan ik nu toch niet meedoen?
- Nee, dat kan echt niet. De cursus is vol.

**Dat is niet mogelijk.**

- Mag ik deze broekjes even passen?
- Nee mevrouw, het is niet mogelijk ondergoed te passen.

- Kan ik ook later betalen?
- Nee meneer, dat is niet mogelijk. Het spijt me.

## B 3 Op een technische school

| | | |
|---|---|---|
| | *Abderrahim Badr* | Ik heb me laatst opgegeven voor Elektrotechniek. Kunt u mij inlichtingen geven over het toelatingsexamen? |
| | *Kees Stellingwerf* | Wat is uw naam? |
| | *Abderrahim Badr* | Abderrahim Badr. |
| 5 | *Kees Stellingwerf* | Moment, dan pak ik even uw formulier. U bent Marokkaan, zie ik? |
| | *Abderrahim Badr* | Dat klopt. |
| | *Kees Stellingwerf* | Nou, in ieder geval moet u dan een examen Nederlands doen. |
| | *Abderrahim Badr* | Maar..., ja, ik woon al twee jaar in Nederland. Moet dat echt? |
| 10 | *Kees Stellingwerf* | Ja, u moet toch dat examen afleggen. Wat is uw vooropleiding? |
| | *Abderrahim Badr* | Ik heb in Marokko de middelbare school gedaan. |
| | *Kees Stellingwerf* | O ja, dat zie ik hier staan. Heeft u uw diploma bij u? |
| | *Abderrahim Badr* | Nee, dat is nog in Marokko. |
| 15 | *Kees Stellingwerf* | Maar we moeten weten met welke cijfers u geslaagd bent. |
| | *Abderrahim Badr* | Is dat echt nodig? |

| | | |
|---|---|---|
| | *Kees Stellingwerf* | Ja, als u voor wiskunde, natuurkunde en Engels lage cijfers had, moet u ook nog in die vakken examen doen. |
| | *Abderrahim Badr* | O, maar ik had allemaal goede cijfers. |
| 20 | *Kees Stellingwerf* | Dan hoeft u geen examen in die vakken te doen. Maar we willen dat toch even controleren. |
| | *Abderrahim Badr* | Dus ik moet echt mijn diploma laten zien? |
| | *Kees Stellingwerf* | Ja, dat kan niet anders. |
| | *Abderrahim Badr* | Wanneer is het examen Nederlands? |
| 25 | *Kees Stellingwerf* | Dat is dit jaar op 23 en 24 juni. Maar zorgt u nu eerst dat wij uw diploma krijgen. |
| | *Abderrahim Badr* | Kan ik hier anders niet studeren? |
| | *Kees Stellingwerf* | Nee, nee, dat is niet mogelijk. |
| | *Abderrahim Badr* | Goed, ik zal mijn best doen. Bedankt voor uw informatie. |
| 30 | *Kees Stellingwerf* | Graag gedaan, dag meneer Badr. |

| | | |
|---|---|---|
| technisch | de vooropleiding | de natuurkunde |
| de elektrotechniek | de middelbare school | laag |
| het toelatingsexamen | het diploma | het vak |
| de Marokkaan | het cijfer | examen doen |
| het examen | slagen | controleren |
| een examen afleggen | de wiskunde | je best doen |

## Vragen of iets moet

**Moet … (echt)?**

– Sorry meneer, u heeft geen geldig plaatsbewijs. Dat kost u *f* 60,–.
– Moet het echt? Kan ik niet een extra zone afstempelen?

– Dus ik moet echt mijn diploma laten zien?
– Ja.

**Is dat (echt) nodig?**

– Wilt u de bon meenemen als u iets terugbrengt?
– Is dat echt nodig? U kent me toch?

– Ja, wij willen graag weten met welke cijfers u geslaagd bent.
– Is dat echt nodig?

## Zeggen dat iets moet

**U moet ...**

- Ik heb geen legitimatie bij me.
- Dan kan ik u geen geld geven. U moet zich legitimeren.

**Het kan niet anders.**

- Meneer, u kunt niet meer naar binnen. De voorstelling is al begonnen.
- Maar ik heb al kaartjes gekocht!
- Het spijt me, meneer, maar het kan niet anders.

## Hoeven + ontkenning (+ te)

**Bij ontkenning van *moeten*: *hoeven + geen/niet (+ te)***

- Moet ik even brood halen?
- Nee hoor, dat hoeft niet. Er is nog genoeg.

- Moet ze lang in het ziekenhuis blijven?
- Nee, ze hoeft niet zo lang te blijven. Een paar dagen.

- Moeten we nog even boodschappen doen?
- Nee hoor, jullie hoeven geen boodschappen meer te doen.

## C 4 Een telefoongesprek

*Gilberto Riveira* Ja.
*Harm-Jan Heddema* Met Harm-Jan Heddema. Spreek ik met Gilberto?
*Gilberto Riveira* Ja.
5 *Harm-Jan Heddema* Ik heb je advertentie gelezen over Portugese les. Ik heb daar wel belangstelling voor.
*Gilberto Riveira* O, leuk. Maar heb je begrepen dat ik dan van jou Nederlandse les wil?
*Harm-Jan Heddema* Ja, dat vind ik juist een prima idee. Maar jij
10 spreekt al goed Nederlands, zeg!
*Gilberto Riveira* Ja, redelijk, maar ik maak nog heel veel fouten. Heb je al eerder lesgegeven?
*Harm-Jan Heddema* Nee, nog nooit, maar ik studeer Nederlands.

473894

Braziliaan geeft lessen Portugees in ruil voor conversatie Nederlands. Gilberto, 010-8765432

Cursusreizen Frans en Engels

*Gilberto Riveira* O, maar ik wil absoluut geen grammatica, hoor. Ik wil alleen
15 maar vloeiend Nederlands leren praten.
*Harm-Jan Heddema* Heb jij wel eens lesgegeven?
*Gilberto Riveira* Ja, ik geef regelmatig conversatieles. En in Brazilië was ik onderwijzer. Spreek jij al een beetje Portugees?
*Harm-Jan Heddema* Nee, nog niet. Maar ik ga van de zomer met vakantie naar
20 Brazilië. En dan is het handig om een paar woorden Portugees te kunnen praten.
*Gilberto Riveira* Zullen we een afspraak maken? Kun je donderdagavond?
*Harm-Jan Heddema* Nee, dan heb ik altijd conditietraining. Wat denk je van dinsdagavond?
25 *Gilberto Riveira* Nee, dan kom ik heel vaak laat thuis. Maandagavond misschien?
*Harm-Jan Heddema* Dat is goed. Doen we het bij jou of bij mij?
*Gilberto Riveira* Kom maar naar mij toe. Ik woon in de Kruisstraat 54.
*Harm-Jan Heddema* Zal ik dan om een uur of half acht komen?
30 *Gilberto Riveira* Eh, liever iets later, acht uur, half negen. Ik eet meestal niet zo vroeg.
*Harm-Jan Heddema* Goed, dan kom ik om acht uur. Tot dan, hè.
*Gilberto Riveira* Ja, tot ziens.

| | | | |
|---|---|---|---|
| het telefoongesprek | redelijk | de conversatieles | de dinsdagavond |
| de Braziliaan | de fout | de onderwijzer | de maandagavond |
| Portugees | lesgeven | van de zomer | om een uur of ... |
| in ruil voor | de grammatica | met vakantie gaan (naar) | vroeg |
| de conversatie | vloeiend | de conditietraining | tot dan |

## Frequentie

**nooit**
**wel eens, soms, af en toe**
**vaak**
**meestal**
**regelmatig**
**altijd, steeds**

– Heb je al eerder lesgegeven?
– Nee, nog nooit. En jij? Heb jij wel eens les gegeven?
– Ja, ik geef regelmatig conversatieles.

– Wat denk je van dinsdagavond?
– Nee, dan kom ik vaak heel laat thuis.
– En donderdagavond?
– Nee, dan heb ik altijd conditietraining.

## D 5 Het onderwijs in Nederland

### Leerplicht

Elk kind dat in Nederland woont heeft vanaf vier jaar het recht om naar school te gaan. Maar Nederland kent ook de leerplicht, dat betekent dat ouders de plicht hebben om hun kinderen in de leeftijd tussen vijf en zestien jaar onderwijs te laten volgen. Zij mogen hun kinderen dus niet thuis houden.

### Hoe is het onderwijs in Nederland geregeld?

Kinderen van vier tot twaalf jaar gaan naar de *basisschool.* Na de basisschool kunnen de leerlingen overstappen naar het voortgezet onderwijs. Er zijn *twee vormen* van voortgezet onderwijs:

1 *algemeen voortgezet onderwijs*, in dit onderwijs worden de leerlingen nog niet voorbereid op een beroep;

2 *beroepsgericht onderwijs*, hier leren de leerlingen een vak of worden ze op een bepaald beroep voorbereid.

In het voortgezet onderwijs beginnen de leerlingen met de basisvorming. De basisvorming duurt drie jaar. Op alle scholen zijn de lessen in de basisvorming (bijna) hetzelfde. Op die manier krijgen alle leerlingen dezelfde basis en kunnen ze gemakkelijk naar een ander schooltype overstappen.

**Het algemeen voortgezet onderwijs**

Tot het algemeen voortgezet onderwijs behoren:

1 *het middelbaar algemeen vormend onderwijs* (mavo), deze school duurt vier jaar en geeft toegang tot het middelbaar beroepsonderwijs;

2 *het hoger algemeen vormend onderwijs* (havo), deze school duurt vijf jaar en geeft toegang tot het hoger beroepsonderwijs;

3 *het voorbereidend wetenschappelijk onderwijs* (vwo); het vwo duurt zes jaar en geeft toegang tot de universiteit.

**Het beroepsonderwijs**

In het beroepsonderwijs worden de leerlingen direct opgeleid voor een vak of beroep. Er zijn *drie niveaus*:

1 *voorbereidend beroepsonderwijs* (vbo),

2 *middelbaar beroepsonderwijs* (mbo),

3 *hoger beroepsonderwijs* (hbo).

In het beroepsonderwijs kunnen de leerlingen kiezen uit verschillende richtingen, zoals technisch onderwijs, economisch en administratief onderwijs of agrarisch onderwijs.

Naar: *Het Koninkrijk der Nederlanden, feiten en cijfers*, Voorlichtingsdienst Buitenland van het Ministerie van Buitenlandse Zaken in samenwerking met diverse overheidsinstanties. 's-Gravenhage, 1990.

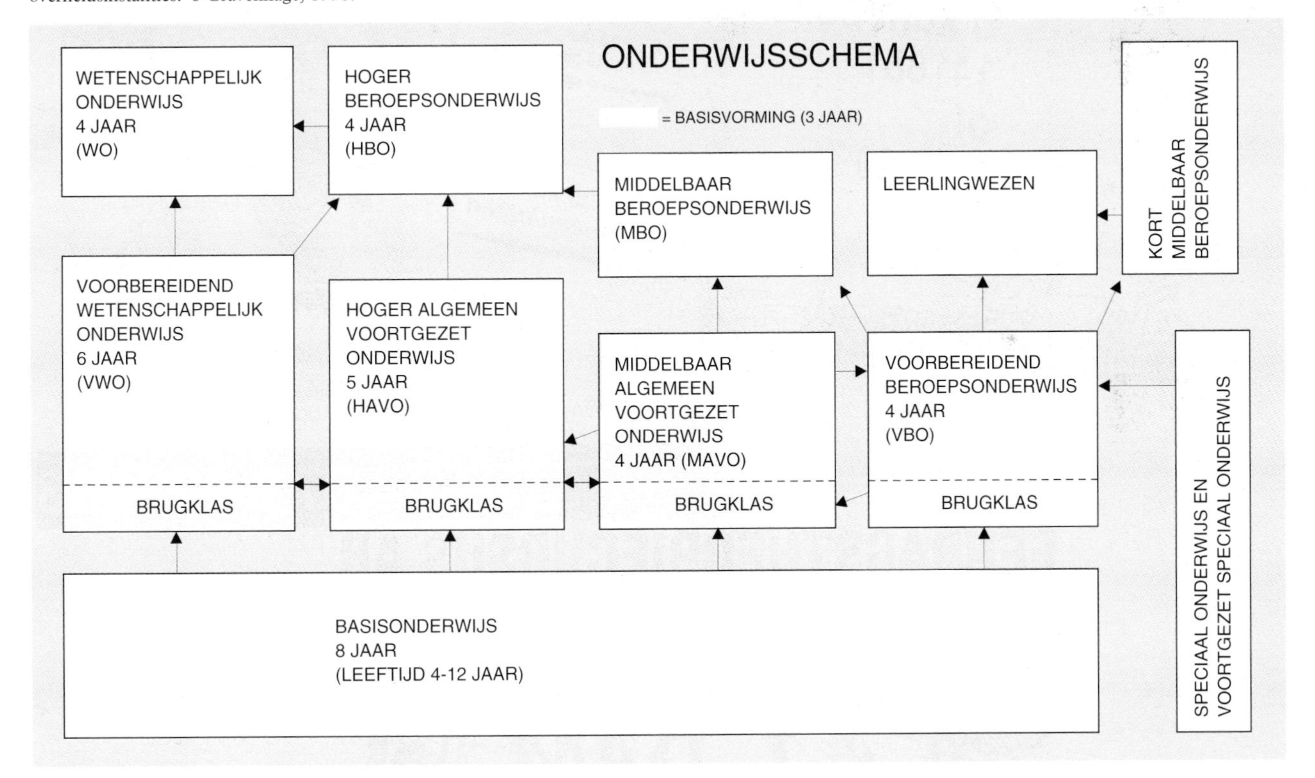


| | | | | |
|---|---|---|---|---|
| de leerplicht | de vorm | dezelfde | voorbereidend | de richting |
| de leeftijd | voorbereiden | gemakkelijk | wetenschappelijk | administratief |
| de basisschool | het beroep | het schooltype | de universiteit | agrarisch |
| de leerling | beroepsgericht | behoren tot | direct | |
| overstappen | de basisvorming | toegang geven (tot) | opleiden | |
| voortgezet | op die manier | het beroepsonderwijs | het niveau | |

## E 6 Foxtrot of tango?

**Inlichtingen en inschrijving**
voor de danslessen
Dagelijks van 19.00-21.00 uur tel. 071-123583

Hooigracht 87 - 2312 KP Leiden **071-123583**

Elke zwemleraar(es) die bij ons les geeft, is OFFICIEEL BEVOEGD

VIJF MEIBAD (woensdag, vrijdag)

zwembad DE ZIJL (dinsdag, donderdag, zaterdag)

Zwemlessen vanaf 4 jaar tot verder elke leeftijd!

**NÙ OPGEVEN**
**voor de komende serie zwemlessen**
**geen wachtlijst**

**U kunt bellen:**
**141881**
**of**
**213660**

**EENDAGSTHEORIECURSUS AB**
**3 december**

LID BOVAG AUTO

De grootste ANWB - erkende rijschool van de regio

08380-18027 KERKHOFLAAN 1 - EDE

Ook in: Arnhem - Duiven - Westervoort
Diemen - Wageningen - Veenendaal

## E 7 Sport en muziek op school

Op basisschool 'De Viersprong' in Leiden kunnen leerlingen zich opgeven voor een *verlengde* schooldag. Eén keer per week kunnen ze na de 'gewone' les sporten, techniek doen, muziek maken, zich bezighouden met kunst of computeren. Leerlingen van verschillende leeftijden zitten in deze groepen door elkaar. Een vakdocent leert de kinderen op een speelse manier met materialen, sport en elkaar om te gaan. 'Veel kinderen van onze school hebben een taalachterstand. Dat betekent dat een kind minder ver is in taal dan andere kinderen van zijn leeftijd. Op deze manier proberen we die achterstand minder groot te maken. Hopelijk gaat het kind ook beter leren. Verder vinden we het belangrijk dat kinderen leren van elkaar en dat ze elkaar helpen. School moet een plaats zijn waar ze graag komen. Niet alleen een plaats waar hoge cijfers belangrijk zijn en waar ze uren moeten zitten.' Dat zegt Fryja Zandbergen, leider van het project 'Verlengde schooldag'.

Naar: *Leids Nieuwsblad*, 2 december 1994.

# 16 Wat voor werk doet u?

## A 1 Bij een uitzendbureau

*Humphrey Tamara* Goedemiddag, ik zoek een baantje.
*medewerker* Wat is uw beroep?
*Humphrey Tamara* Ik ben student.
*medewerker* En wat voor werk zoekt u?
5 *Humphrey Tamara* Dat maakt niet uit.
*medewerker* In welke periode bent u beschikbaar? Zoekt u vakantiewerk?
*Humphrey Tamara* Ja, ik zoek iets in juni en juli.
*medewerker* Hm, moeilijk. Wilt u schoonmaakwerk doen?
*Humphrey Tamara* Heeft u niets anders? Ik heb dat vorig jaar ook al gedaan,
10 maar dat is me toen slecht bevallen.
*medewerker* Ja, u bent natuurlijk niet de enige die in die periode iets zoekt. Heeft u een rijbewijs?
*Humphrey Tamara* Nee, maar ik heb wel een typediploma. Heeft u ergens op een kantoor of zo geen werk voor me?
15 *medewerker* Nee, niets, alleen schoonmaakwerk. O, wacht even. Dit bedrijf zoekt iemand voor administratief werk. Misschien is dat iets voor u. Het is wel buiten de stad.
*Humphrey Tamara* O, dat doet er niet toe. Van wanneer tot wanneer is het?
*medewerker* Van 15 juni tot 15 augustus.
20 *Humphrey Tamara* Nee, in augustus ben ik al weg.
*medewerker* Niet in augustus. Wanneer wilt u beginnen?

*Humphrey Tamara* Dat kan me niet schelen. Nu, als het moet. Krijgt u nog ander werk binnen, denkt u?

*medewerker* Tja, dat is moeilijk te zeggen. U kunt het beste dit formulier invullen. Dan kunnen we u bellen, als we iets geschikts voor u hebben. En misschien moet u het ergens anders nog eens proberen.

*Humphrey Tamara* Ja, dat zal ik doen, dank u wel.

**Vakantiewerk**

**ASB uitzendbureau**

zoekt m/v:

**havo/vwo eindexamen-kandidaten**

die op verschillende projecten in Amsterdam gedurende de zomermaanden administratief werk gaan verrichten.

Van de kandidaten wordt verwacht:

- havo en/of vwo met wiskunde of economie
- leeftijd 18 tot 20 jaar
- in teamverband willen werken
- beschikbaar vanaf 29 mei t/m 21 juli of vanaf 24 juli t/m 15 september a.s.

Geinteresseerden kunnen contact opnemen met ASB uitzendburreau, Middenweg 1-3, 1098 AA Amsterdam, telef. 020-926416. U kunt vragen naar Yvonne Knape.

| | | | |
|---|---|---|---|
| het uitzendbureau | het vakantiewerk | het typediploma | binnenkrijgen |
| de baan | het schoonmaakwerk | wacht even | tja |
| de periode | niets anders | het bedrijf | dat is moeilijk te zeggen |
| beschikbaar zijn | bevallen | het is (n)iets voor u | geschikt |

## Geen voorkeur hebben (2)

**Het doet er niet toe.**

- Wilt u een baantje in juli of augustus?
- O, het doet er niet toe.

- Het is een baantje buiten de stad.
- Dat doet er niet toe.

**Dat kan me niet(s) schelen.**

- Wilt u dinsdag of donderdag?
- O, dat kan me niet schelen.

- Wanneer wilt u beginnen?
- Het kan me niets schelen.

## Iets-niets, iemand-niemand, ergens-nergens

1 *bij dingen:* **iets, niets**

- Kan ik iets voor je doen?
- Nee hoor, dank je.

- Hebt u op een kantoor geen werk voor me?
- Nee, ik heb niets, alleen schoonmaakwerk.

*bij personen:* **iemand, niemand**

- Kan iemand mij even helpen?
- Ja, momentje.

- Ik wil dat je het tegen niemand zegt, okee?
- Natuurlijk!

*bij plaatsen:* **ergens, nergens**

- De Tulpenlaan moet hier ergens in de buurt zijn.
- Ja, maar waar?

- Ik kan Michel nergens meer vinden.
- Nee, dat klopt. Hij is net naar huis gegaan.

2 **iets, niemand, ..., + anders**

- Wilt u schoonmaakwerk doen?
- Hebt u niets anders?

- Misschien moet u het ergens anders nog eens proberen.
- Ja, dat zal ik doen, dank u wel.

3 **iets/niets** + *bijvoeglijk naamwoord* + **s**

- Heb je nog wat gekocht in de stad?
- Nee, ik heb echt niets moois gezien.

- We bellen u, als we iets geschikts voor u hebben.
- Ja, prima.

## A 2 Als niemand luistert...

als niemand
luistert
naar niemand
vallen er doden
in plaats van
woorden

*Jana Beranová*

in plaats van

## B 3 Gesprek met een treinconducteur

*interviewer* Meneer Smeets, wat voor werk doet u precies?
*Twan Smeets* Ik ben conducteur bij de Nederlandse Spoorwegen.
5 *interviewer* En hoe lang doet u dit werk nu?
*Twan Smeets* Ik ben nu twaalf jaar conducteur, maar ik werk al zestien jaar bij de NS.
*interviewer* Wat deed u daarvoor?
*Twan Smeets* Voordat ik conducteur werd, bedoelt u?
10 Toen werkte ik als stationsassistent.
*interviewer* En waarom bent u conducteur geworden?
*Twan Smeets* Tja, een baan op kantoor leek me niks en ik wist dat de NS
een goede werkgever was, dus toen ze
15 conducteurs nodig hadden, heb ik gesolliciteerd.
*interviewer* En daar hebt u achteraf geen spijt van?
*Twan Smeets* Nee, beslist niet, want ik vind het een leuk beroep. Ik kom
20 elke dag met veel mensen in contact, ik heb aardige collega's en het is een afwisselend beroep.
*interviewer* U knipt niet alleen kaartjes?

| | | |
|---|---|---|
| | *Twan Smeets* | Nee, ik voel me meer een soort gastheer in de trein. Als |
| 25 | | conducteur help je de reizigers, je geeft informatie en je bent |
| | | verantwoordelijk voor de orde en veiligheid in de trein. |
| | *interviewer* | Vindt u het een zwaar beroep? |
| | *Twan Smeets* | Nee, lichamelijk is het geen zwaar beroep, nee. Maar je moet |
| | | wel stevig in je schoenen staan voor dit werk. |
| 30 | *interviewer* | Hoe bedoelt u? |
| | *Twan Smeets* | Nou, probeert u maar eens de kaartjes te controleren van een |
| | | groep voetbalsupporters. Nou, dan moet je heel tactisch |
| | | optreden. |
| | *interviewer* | En bent u tevreden over uw salaris? |
| 35 | *Twan Smeets* | Ach, een mens wil natuurlijk altijd meer. Maar door mijn |
| | | onregelmatige diensten heb ik recht op een extra toeslag. Op |
| | | die manier is het een goed betaald beroep. |
| | *interviewer* | Dus u bent niet op zoek naar ander werk? |
| | *Twan Smeets* | Nee, ik wil dit werk graag blijven doen. |

| | | | |
|---|---|---|---|
| de (trein)conducteur | spijt hebben van | de reiziger | optreden |
| daarvóór | beslist niet | verantwoordelijk (voor) | tevreden |
| de stationsassistent | in contact komen met | de veiligheid | het salaris |
| het lijkt me niets | afwisselend | lichamelijk | onregelmatig |
| de werkgever | kaartjes knippen | stevig in je schoenen staan | recht hebben (op) |
| solliciteren | zich voelen | de voetbalsupporter | de toeslag |
| achteraf | de gastheer | tactisch | |

## Vragen naar een beroep

**Wat is uw beroep?**

– Wat is je beroep?
– Ik geef les. En jij?

– Wat is uw beroep?
– Ik ben conducteur.

**Wat (voor werk) doe je?**

– Wat doe je?
– Ik werk bij een bank. Jij?

– Wat voor werk doet u precies?
– Ik ben conducteur bij de Nederlandse Spoorwegen.

## C 4 Op zoek naar werk

*Gerard:*

'Mijn naam is Gerard, ik ben 32 jaar en ik heb mavo. Ik werk al jaren als assistent inkoper bij een technisch bedrijf. Promotiekansen binnen het bedrijf heb ik eigenlijk niet. Mijn chef is maar twee jaar ouder dan ik, dus als ik moet wachten totdat die met pensioen gaat… Ik heb al verschillende keren gesolliciteerd. Ik heb natuurlijk veel praktijkervaring, maar ja, ik kan geen diploma's laten zien. Gelukkig ben ik nog nooit één dag werkloos geweest, maar ik vraag me toch af: 'Is er voor mij nou niet een mogelijkheid om hogerop te komen?'

*Marijke:*

'Ik ben Marijke, 19 jaar. Toen ik twee jaar geleden m'n havo-diploma haalde, sprong ik een gat in de lucht. Nou, ik kan je wel zeggen dat ik nu weer met beide benen op de grond sta. D'r zijn wel banen, maar ja, net niet iets voor mij. Overal vragen ze iemand met ervaring. Ik wil het liefst iets met m'n handen doen. Timmeren of meubelmaken, dat lijkt me nou echt leuk. Voor mijn kamer heb ik een tafeltje en een boekenkast gemaakt. Maar nu nog naar het mbo? Dat zie ik echt niet zitten. Maar ja, wat dan wel…?'

*Harmen:*

'Ik ben Harmen, 26, en ik heb op school altijd vreselijk gebaald. De laatste tijd heb ik verschillende baantjes gehad. Eerst administratief medewerker, maar dat was niks. Magazijnbediende bij een handelaar in levensmiddelen beviel me beter. Maar toen het slechter ging met het bedrijf, kreeg ik ontslag. Het laatst gekomen, dus het eerst eruit. Nu repareer ik geluidsinstallaties en oude televisies voor vrienden en kennissen. Elektrotechniek is net iets voor mij. Er zijn ook wel vacatures in die branche, maar tot nu toe heb ik nog niks geschikts gevonden.'

*Cor:*

'Ik ben Cor, ik ben 24 en ik ben net klaar met mijn studie medicijnen. Je denkt misschien dat het voor mij 35 gemakkelijk is om werk te vinden? Nou, vergeet het maar. Ja, ik heb bollen gepeld, tomaten geplukt en in een papierfabriek gewerkt. Want stil zitten kan ik niet. Daar heb ik thuis trouwens ook nooit tijd voor gehad. Mijn vader had een melkzaak, dus daar was altijd wel 40 wat te doen. En al die klussen zijn voor een tijdje best leuk, maar het is nou niet precies wat ik me van de toekomst heb voorgesteld.'

de assistent
de inkoper
de promotiekans
de chef
totdat
met pensioen gaan
de praktijkervaring
zich afvragen
hogerop komen
twee jaar geleden
een diploma halen
een gat in de lucht springen
met beide benen op de grond staan
timmeren
meubelmaken
de boekenkast
het vbo
iets zien zitten
balen
de magazijnbediende
de handelaar
de levensmiddelen
ontslag krijgen
de geluidsinstallatie
de kennis
de vacature
de branche
tot nu toe
de studie medicijnen
vergeet het maar
bollen pellen
tomaten plukken
de papierfabriek
trouwens
de vader
de melkzaak
de klus
de toekomst

## Positief beoordelen (2)

**Dat is iets voor mij.**

– Hoe vind je mijn jas?
– Ja, dat is nou echt iets voor jou.

– En wat denkt u van elektrotechniek?
– Ja, dat is net iets voor mij.

**Het bevalt me.**

– Hoe is het in je nieuwe huis?
– Nou, het bevalt me wel.

– Eerst administratief medewerker, maar dat was niets. Magazijnbediende bij een handelaar in levensmiddelen beviel me beter.

**Dat lijkt me leuk/goed/...**

– Zullen we vanavond naar de film gaan?
– Dat lijkt me hartstikke leuk.

– Wat vind je van timmeren of meubelmaken?
– Het lijkt me heel leuk.

## Negatief beoordelen (2)

**Dat is niets voor mij.**

- Hoe vind je dat lekkere stuk daar aan de bar?
- O nee, dat is niets voor mij.

- Vind je administratief werk leuk?
- Nee, dat is niets voor mij.

**Dat bevalt me niet/slecht/...**

- Gaat het goed op die nieuwe afdeling?
- Nou, het bevalt me niet zo goed.

- Wilt u schoonmaakwerk doen?
- Nee, dat is me vorig jaar slecht bevallen.

**Het lijkt me niet leuk/goed/...**

- Zullen we Gerard dan ook uitnodigen?
- Nou, dat lijkt me niet zo leuk.

- Waarom bent u conducteur geworden?
- Een baan op kantoor leek me niets en ik wist dat de NS een goede werkgeverwas, dus toen ze conducteurs nodig hadden, heb ik gesolliciteerd.

D 5

## Leven en laten leven?

De één heeft lang haar, de ander kort. De één draagt een baard, de ander een snor. Mannen met lang haar vinden we al lang niet meer vies of raar. Veertig jaar geleden was dat nog wel zo. De meeste mannen hadden kort geknipt haar. Lang haar was voor meisjes. Mannen met lang haar konden vaak moeilijk een baan vinden. Trouwens, nog steeds kan lang haar, een baard of een snor een leuke baan in de weg staan. Een Amerikaanse vrouw kreeg haar ontslag omdat ze te veel haar op haar bovenlip had. De vrouw werkte in een hotel. Een vrouw met een snor was daar niet gewenst. De chef van de vrouw heeft inmiddels ook zijn ontslag gekregen. Hij had de vrouw advies moeten geven om haar snor weg te halen. 'Ze kan zich immers scheren?' werd er gezegd. De vrouw en haar chef hebben nu een klacht ingediend bij de Raad voor Gelijke Behandeling. De Raad kijkt nu na wat de wet hierover zegt.

Naar: *De Toonzetter*, juli/augustus 1994.

leven
de baard
de snor
vies
raar
het meisje
in de weg staan
de bovenlip
het hotel
immers
zich scheren
een klacht indienen
de wet

## D 6 Bouwbedrijf Gürçay: bijzonder, betaalbaar en snel

Vanaf 1992 zit bouwbedrijf Gürçay in Leiden. Turan Gürçay is 'de motor' van het bedrijf. Hij komt uit Turkije en heeft daar een opleiding architectuur en 5 bouwkunde gevolgd. Van 1981 tot 1985 had Gürçay een bouwbedrijf in Libië. In 1985 kwam hij naar Nederland waar hij nu woont en werkt.
Gürçay heeft van zijn hobby – 10 ontwerpen en (ver)bouwen – zijn beroep gemaakt. Zowel in Amsterdam als in Leiden heeft hij inmiddels een groot aantal huizen gebouwd en verbouwd. 'Ik ben graag met mijn 15 handen bezig,' zegt Gürçay. Hij kent zijn vak dan ook goed: hij kan niet alleen ontwerpen, hij kan het meeste zelf ook maken. 'Het gebeurt in Nederland niet zo vaak dat die twee 20 dingen door één persoon worden gedaan.'
Gürçay ziet graag tevreden klanten. 'Daarom moeten we bijzonder, betaalbaar en snel zijn. Want 25 verbouwen is meestal niet goedkoop en men verbouwt niet iedere dag.'

Naar: *HET op zondag*, 18 september 1994.

| | | |
|---|---|---|
| het bouwbedrijf | de opleiding | ontwerpen |
| bijzonder | de architectuur | verbouwen |
| betaalbaar | de bouwkunde | bouwen |
| de motor | de hobby | |

## E 7 Blues on tuesday

Geen geld.
Geen vuur.
Geen speed.

Geen krant.
Geen wonder.
Geen weed.

Geen brood.
Geen tijd.
Geen weet.

Geen klote.
Geen donder.
Geen reet.

*J.A. Deelder*

Uit: *Renaissance, gedichten '44-'95*, Amsterdam 1994.

E **8** Vacatures

# ACADEMISCH ZIEKENHUIS LEIDEN

**Gemeenschappelijke Bedrijfsgezondheidsdienst voor AZL en RUL**

De Gemeenschappelijke Bedrijfsgezondheidsdienst voor AZL en RUL vraagt:

## arts m/v

**(38 uur per week)**

Vac.nr. 95.R.08.05.NRC

met belangstelling voor bedrijfsgezondheidszorg.

De Gemeenschappelijke Bedrijfsgezondheidsdienst (GBGD) is verantwoordelijk voor de bedrijfsgezondheidszorg van meer dan 10.000 werknemers van het Academisch Ziekenhuis en de Rijksuniversiteit te Leiden. De GBGD telt 21 medewerkers (waaronder zes bedrijfsartsen en vier bedrijfsmaatschappelijk werkers). De dienst zoekt voor een half jaar een waarnemer voor één van de bedrijfsartsen; het dienstverband gaat in per 1 april a.s.

**Taak:** de gevraagde arts verricht in een vaste sector alle taken op het gebied van ziekteverzuimbegeleiding, sociaal-medisch overleg, aanstellingskeuringen en periodiek onderzoek. De arts krijgt daarbij begeleiding van een geregistreerde bedrijfsarts.

**Functie-eisen:** wij zoeken een arts met aantoonbare belangstelling voor de bedrijfsgezondheidszorg. Ervaring in de sociale verzekeringsgeneeskunde of in de bedrijfsgezondheidszorg strekt tot aanbeveling.

De aanstelling geschiedt in tijdelijke dienst voor zes maanden; er is géén uitzicht op een vast dienstverband.

**Salaris:** maximaal f 5.989,- bruto per maand, afhankelijk van ervaring.

**Informatie:** nadere inlichtingen worden gaarne verstrekt door de heer J.H.W. Maasen, bedrijfsarts/hoofd GBGD (071 - 26 80 15).

Reacties gaarne binnen 2 weken na verschijningsdatum van deze advertentie.

---

Bij indiensttreding is de Algemeen Burgerlijke Pensioenwet van toepassing.
Vakantietoelage 8%.
U kunt solliciteren door een brief te zenden aan de directeur van de dienst sociale zaken AZL, Postbus 9600, 2300 RC Leiden. Graag op de brief en envelop het vacaturenummer vermelden.

**Dille & Kamille** Amersfoort, gevestigd in een historisch pand in de binnenstad, zoekt op korte termijn voor ± **30** uur per week een

---

**enthousiaste**

## verkoopmedewerkster

---

van ± 20 jaar, die bereid is zich in onze specifieke winkelomgeving voor de volle 100% in te zetten.

Graag spoedige schriftelijke reakties aan Dille & Kamille, t.a.v. Ellen Heilijgers, Krommestraat 36, 3811 CC Amersfoort

*Handels- en Konstruktiebedrijf*

**H. HARDEMAN B.V.**

*te Veenendaal neemt een vooraanstaande positie in op het gebied van het bouwen van industriële en agrarische bedrijfshallen.*

Voor onze afdeling Verkoop zoeken wij een

---

## Commercieel medewerker

**(binnendienst)**

---

Zijn taak zal bestaan uit calculeren en telefonisch verkopen van ons produkt.

Ervaring met systeembouw is van groot belang.

Kandidaten met een goede spreekvaardigheid in de duitse en engelse taal genieten de voorkeur.

Uitsluitend schriftelijke sollicitaties richten aan:

Handels- en Konstruktiebedrijf
H. Hardeman BV
t.a.v. de heer H. Hardeman
Postbus 376
3900 AJ VEENENDAAL

## E 9 Ik heb geen zin om op te staan

Het is weer tijd om op te staan.
Maar ik heb geen zin
(hij heeft geen zin)
om naar m'n baas te gaan.
Met m'n blote voeten
op het kouwe zeil.
(met z'n grote blote voeten
op het kouwe zeil)
Ik heb geen zin om op te staan. (2x)
Was jij maar hier,
was jij maar hier.
Want het is zo fijn
(het is zo fijn)
om hier met jou te zijn.
Met m'n voeten tegen je pyjama aan.
(met z'n grote voeten
tegen je pyjama aan)
Ik heb geen zin om op te staan. (2x)

Ik blijf in bed, de hele dag.
Want ik heb geen zin
(hij heeft geen zin)
om d'r nou nog uit te gaan.
Met m'n blote handen
naar m'n baas te gaan.
(met z'n grote blote handen
naar z'n baas te gaan)
Ik heb geen zin om op te staan. (5x)

*Het*

# Appendix 1 Kaart van het Nederlandse taalgebied

# Appendix 2 Lijst van aardrijkskundige namen

| *land/gebied* | *bijvoeglijk naamwoord* | *inwoner* |
|---|---|---|
| Afghanistan | Afghaans | Afghaan |
| Afrika | Afrikaans | Afrikaan |
| Albanië | Albanees | Albanees |
| Algerije | Algerijns | Algerijn |
| Amerika | Amerikaans | Amerikaan |
| Amerikaans-Samoa | Amerikaans-Samoaans | Amerikaans-Samoaan |
| Andorra | Andorrees | Andorrees |
| Angola | Angolees | Angolees |
| Anguilla | Anguillaans | Anguillaan |
| Argentinië | Argentijns | Argentijn |
| Armenië | Armeens | Armeniër |
| Aruba | Arubaans | Arubaan |
| Australië | Australisch | Australiër |
| Azerbeidzjan | Azerbeidzjaans | Azerbeidjaan |
| Azië | Aziatisch | Aziaat |
| Bahama's, de | Bahamaans | Bahamaan |
| Bahrein | Bahreins | Bahreiner |
| Bangladesh | Bengalees | Bengalees |
| Barbados | Barbadaans | Barbadaan |
| België | Belgisch | Belg |
| Belize | Belizaans | Belizaan |
| Benin | Benins | Beniner |
| Bhutan | Bhutaans | Bhutaan |
| Bolivia | Boliviaans | Boliviaan |
| Bosnië-Herzegowina | Bosnisch | Bosniër |
| Botswana | Botswaans | Botswaan |
| Brazilië | Braziliaans | Braziliaan |
| Brunei | Bruneis | Bruneier |
| Bulgarije | Bulgaars | Bulgaar |
| Burkina Faso | Burkinees | Burkinees |
| Burundi | Burundees | Burundees |
| Cambodja | Cambodjaans | Cambodjaan |
| Canada | Canadees | Canadees |
| Centraalafrikaanse Republiek, de | Centraalafrikaans | Centraalafrikaan |
| Chili | Chileens | Chileen |
| China | Chinees | Chinees |
| Colombia | Colombiaans | Colombiaan |
| Comoren, de | Comorees | Comorees |
| Congo | Congolees | Congolees |
| Costa Rica | Costaricaans | Costaricaan |
| Cuba | Cubaans | Cubaan |
| Cyprus | Cyprisch/Cypriotisch | Cyprioot |
| Denemarken | Deens | Deen |
| Djibouti | Djiboutiaans | Djiboutiaan |
| Dominica | Dominicaans | Dominicaan |
| Dominicaanse Republiek, de | Dominicaans | Dominicaan |
| Duitsland | Duits | Duitser |
| Ecuador | Ecuadoraans | Ecuadoraan |
| Egypte | Egyptisch | Egyptenaar |

| *land/gebied* | *bijvoeglijk naamwoord* | *inwoner* |
|---|---|---|
| El Salvador | Salvadoraans | Salvadoraan |
| Equatoriaal-Guinee | Equatoriaal-guinees | Equatoriaal-guineeër |
| Estland | Estlands | Estlander/Est |
| Ethiopië | Ethiopisch | Ethiopiër |
| Europa | Europees | Europeaan |
| Faeröer,de | Faeröers | Faeröerder |
| Falklandeilanden, de | Falklandeilands | Falklandeilander |
| Fiji | Fijisch | Fijiër |
| Filipijnen, de | Filipijns | Filipijn |
| Finland | Fins | Fin |
| Frankrijk | Frans | Fransman, mv.: Fransen vrl.: Française |
| Frans-Guyana | Frans-Guyaans/ Frans-Guyanees | Frans-Guyaan/ Frans-Guyanees |
| Frans-Polynesië | Frans-Polynesisch | Frans-Polynesiër |
| Gabon | Gabonees | Gabonees |
| Gambia | Gambiaans | Gambiaan |
| Georgië | Georgisch | Georgiër |
| Ghana | Ghanees | Ghanees |
| Gibraltar | Gibraltarees | Gibraltarees |
| Grenada | Grenadaans | Grenadaan |
| Griekenland | Grieks | Griek |
| Groenland | Groenlands | Groenlander |
| Guadeloupe | Guadeloups | Guadelouper |
| Guam | Guamees | Guamees |
| Guatemala | Guatemalaans/ Guatemalteeks | Guatemalaan/ Guatemalteek |
| Guinee | Guinees | Guineeër |
| Guinee-Bissau | Guinee-Bissaus | Guinee-Bissauer |
| Guyana | Guyaans/Guyanees | Guyaan/Guyanees |
| Haïti | Haïtiaans | Haïtiaan |
| Honduras | Hondurees | Hondurees |
| Hongarije | Hongaars | Hongaar |
| Hongkong | Hongkongs | Hongkonger |
| Ierland | Iers | Ier |
| IJsland | IJslands | IJslander |
| India | Indiaas | Indiër |
| Indonesië | Indonesisch | Indonesiër |
| Irak | Iraaks | Irakees/Iraki |
| Iran | Iraans | Iraniër |
| Israël | Israëlisch | Israëliër/Israëli |
| Italië | Italiaans | Italiaan |
| Ivoorkust | Ivoriaans | Ivoriaan |
| Jamaica | Jamaicaans | Jamaicaan |
| Japan | Japans | Japanner |
| Jemen | Jemenitisch | Jemeniet |
| Jordanië | Jordaans | Jordaniër |
| Kaapverdië | Kaapverdisch | Kaapverdiër |
| Kameroen | Kameroens | Kameroener |
| Kazachstan | Kazachs/Kazaks | Kazach/Kazak |
| Kenya | Kenyaans | Kenyaan |
| Kirgizië | Kirgizisch | Kirgies |

| *land/gebied* | *bijvoeglijk naamwoord* | *inwoner* |
|---|---|---|
| Kiribati | Kiribatisch | Kiribatiër |
| Koeweit | Koeweits | Koeweiter/Koeweiti |
| Kroatië | Kroatisch | Kroaat |
| Laos | Laotiaans | Laotiaan |
| Lesotho | Lesothaans | Lesothaan |
| Letland | Letlands | Let/Letlander |
| Libanon | Libanees | Libanees |
| Liberia | Liberiaans | Liberiaan |
| Libië | Libisch | Libiër |
| Liechtenstein | Liechtensteins | Liechtensteiner |
| Litouwen | Litouws | Litouwer |
| Luxemburg | Luxemburgs | Luxemburger |
| Macau | Macaus | Macauer |
| Madagascar | Malagassisch | Malagassiër |
| Malawi | Malawisch | Malawiër |
| Maldiven, de | Maldivisch | Maldiviër |
| Maleisië | Maleisisch | Maleisiër |
| Mali | Malinees | Malinees |
| Malta | Maltees | Maltees |
| Marokko | Marokkaans | Marokkaan |
| Martinique | Martinikaans | Martinikaan |
| Mauritanië | Mauritaans | Mauritaniër |
| Mauritius | Mauritiaans | Mauritiaan |
| Mexico | Mexicaans | Mexicaan |
| Moldavië | Moldavisch | Moldaviër |
| Monaco | Monegaskisch | Monegask |
| Mongolië | Mongools | Mongoliër |
| Mozambique | Mozambikaans | Mozambikaan |
| Namibië | Namibisch | Namibiër |
| Nauru | Nauruaans | Nauruaan |
| Nederland | Nederlands | Nederlander |
| Nederlandse Antillen, de | Nederlands-Antilliaans | Nederlands-Antilliaan |
| Nepal | Nepalees | Nepalees |
| Nicaragua | Nicaraguaans | Nicaraguaan |
| Nieuw-Caledonië | Nieuwcaledonisch | Nieuwcaledoniër |
| Nieuw-Zeeland | Nieuwzeelands | Nieuwzeelander |
| Niger | Nigerees | Nigerees |
| Nigeria | Nigeriaans | Nigeriaan |
| Noord-Korea | Noordkoreaans | Noordkoreaan |
| Noorwegen | Noors | Noor |
| Oekraïne | Oekraïens | Oekraïner |
| Oezbekistan | Oezbeeks | Oezbeek |
| Oman | Omanitisch/Omaans | Omaniet |
| Oostenrijk | Oostenrijks | Oostenrijker |
| Pakistan | Pakistaans | Pakistaan/Pakistani |
| Panama | Panamees | Panamees |
| Paraguay | Paraguees/Paraguayaans | Paraguees/Paraguayaan |
| Peru | Peruaans/Peruviaans | Peruaan/Peruviaan |
| Polen | Pools | Pool |
| Portugal | Portugees | Portugees |
| Puerto Rico | Puertoricaans/Portoricaans | Puertoricaan/Portoricaan |
| Qatar | Qatarees | Qatarees |

| *land/gebied* | *bijvoeglijk naamwoord* | *inwoner* |
|---|---|---|
| Roemenië | Roemeens | Roemeen |
| Ruanda | Ruandees | Ruandees |
| Rusland | Russisch | Rus<br>vrl: Russische/Russin |
| San Marino | Sanmarinees | Sanmarinees |
| Saudi-Arabië | Saudiarabisch/Saudisch | Saudiër/Saudi |
| Senegal | Senegalees | Senegalees |
| Servië-Montenegro | Servisch Montenegrijns | Serviër Montenegrijn |
| Seychellen, de | Seychels | Seycheller |
| Sierra Leone | Sierraleoons | Sierraleoner |
| Singapore | Singaporaans | Singaporaan |
| Slovenië | Sloveens | Sloveen |
| Slowakije/Slovakije | Slowaaks/Slovaaks | Slowaak/Slovaak |
| Somalië | Somalisch | Somaliër |
| Spanje | Spaans | Spanjaard |
| Sri Lanka | Srilankaans | Srilankaan |
| Sudan | Sudanees | Sudanees |
| Suriname | Surinaams | Surinamer |
| Swaziland | Swazisch | Swaziër |
| Syrië | Syrisch | Syriër |
| Tadzjikistan | Tadzjieks | Tadzjiek |
| Taiwan | Taiwanees | Taiwanees |
| Tanzania | Tanzaniaans | Tanzaniaan |
| Thailand | Thais/Thailands | Thai/Thailander |
| Togo | Togolees | Togolees |
| Tonga | Tongaans | Tongaan |
| Tsjaad | Tsjadisch | Tsjadiër |
| Tsjechië | Tsjechisch | Tsjech |
| Tunesië | Tunesisch | Tunesiër |
| Turkije | Turks | Turk |
| Turkmenistan | Turkmeens | Turkmeen |
| Tuvalu | Tuvaluaans | Tuvaluaan |
| Uganda | Ugandees | Ugandees |
| Uruguay | Uruguayaans/Uruguees | Uruguayaan/Uruguees |
| Vanuatu | Vanuatuaans | Vanuatuaan |
| Venezuela | Venezolaans | Venezolaan |
| Verenigde Staten van Amerika, de | Amerikaans | Amerikaan |
| Verenigd Koninkrijk, het /<br>Groot-Brittannië | Brits | Brit |
| Vietnam | Vietnamees | Vietnamees |
| West-Samoa | Westsamoaans | Westsamoaan |
| Wit-Rusland | Witrussisch | Witrus |
| Zaïre | Zaïrees | Zaïrees |
| Zambia | Zambiaans | Zambiaan |
| Zimbabwe | Zimbabwaans | Zimbabwaan |
| Zuid-Afrika | Zuidafrikaans | Zuidafrikaan |
| Zuid-Korea | Zuidkoreaans | Zuidkoreaan |
| Zweden | Zweeds | Zweed |
| Zwitserland | Zwitsers | Zwitser |

Naar: Nederlandse Taalunie, *Voorzetten 41. Lijst van landnamen.* Namen van landen, alsmede opgave van de daarbij behorende bijvoeglijke naamwoorden en inwoneraanduidingen en van de namen van de hoofdsteden. Officiële schrijfwijze voor het Nederlandse taalgebied. Werkgroep Buitenlandse Aardrijkskundige namen. Stichting Bibliographia Neerlandica. 's-Gravenhage, 1993.

# Appendix 3 Lijst van onregelmatige werkwoorden

In deze lijst zijn geen samengestelde werkwoorden opgenomen. Als de voltooide tijd gevormd wordt met 'zijn' staat er tussen haakjes 'zijn' achter het voltooid deelwoord.

| *infinitief* | *onvoltooid verleden tijd* | *voltooid tegenwoordige tijd* |
|---|---|---|
| bakken | bakte, bakten | gebakken |
| beginnen | begon, begonnen | begonnen (zijn) |
| begrijpen | begreep, begrepen | begrepen |
| bespreken | besprak, bespraken | besproken |
| bestaan | bestond, bestonden | bestaan |
| bevallen | beviel, bevielen | bevallen (zijn) |
| bieden | bood, boden | geboden |
| blijken | bleek, bleken | gebleken (zijn) |
| blijven | bleef, bleven | gebleven (zijn) |
| breken | brak, braken | gebroken |
| brengen | bracht, brachten | gebracht |
| buigen | boog, bogen | gebogen |
| denken | dacht, dachten | gedacht |
| doen | deed, deden | gedaan |
| dragen | droeg, droegen | gedragen |
| drinken | dronk, dronken | gedronken |
| eten | at, aten | gegeten |
| gaan | ging, gingen | gegaan (zijn) |
| geven | gaf, gaven | gegeven |
| hangen | hing, hingen | gehangen |
| hebben | had, hadden | gehad |
| helpen | hielp, hielpen | geholpen |
| heten | heette, heetten | geheten |
| hoeven | hoefde, hoefden | gehoeven |
| houden | hield, hielden | gehouden |
| kiezen | koos, kozen | gekozen |
| kijken | keek, keken | gekeken |
| komen | kwam, kwamen | gekomen (zijn) |
| kopen | kocht, kochten | gekocht |
| krijgen | kreeg, kregen | gekregen |
| kunnen | kon, konden | gekund |
| laten | liet, lieten | gelaten |
| lezen | las, lazen | gelezen |
| liggen | lag, lagen | gelegen |
| lijden | leed, leden | geleden |
| lijken | leek, leken | geleken |
| lopen | liep, liepen | gelopen |

| *infinitief* | *onvoltooid verleden tijd* | *voltooid tegenwoordige tijd* |
|---|---|---|
| meten | mat, maten | gemeten |
| moeten | moest, moesten | gemoeten |
| mogen | mocht, mochten | gemogen |
| nemen | nam, namen | genomen |
| rijden | reed, reden | gereden (zijn/hebben) |
| roepen | riep, riepen | geroepen |
| schieten | schoot, schoten | geschoten |
| schrijven | schreef, schreven | geschreven |
| slapen | sliep, sliepen | geslapen |
| sluiten | sloot, sloten | gesloten |
| spijten | speet (het), - | gespeten |
| spreken | sprak, spraken | gesproken |
| springen | sprong, sprongen | gesprongen |
| staan | stond, stonden | gestaan |
| steken | stak, staken | gestoken |
| trekken | trok, trokken | getrokken |
| treden | trad, traden | getreden |
| vallen | viel, vielen | gevallen (zijn) |
| verbinden | verbond, verbonden | verbonden |
| verbreken | verbrak, verbraken | verbroken |
| vergeten | vergat, vergaten | vergeten (zijn/hebben) |
| verkopen | verkocht, verkochten | verkocht |
| verlaten | verliet, verlieten | verlaten |
| vertrekken | vertrok, vertrokken | vertrokken (zijn) |
| vinden | vond, vonden | gevonden |
| vragen | vroeg, vroegen | gevraagd |
| willen | wou/wilde, wouden/wilden | gewild |
| worden | werd, werden | geworden (zijn) |
| zeggen | zei, zeiden | gezegd |
| zien | zag, zagen | gezien |
| zijn | was, waren | geweest (zijn) |
| zitten | zat, zaten | gezeten |
| zoeken | zocht, zochten | gezocht |
| zullen | zou, zouden | - |

# Appendix 4 Het lichaam

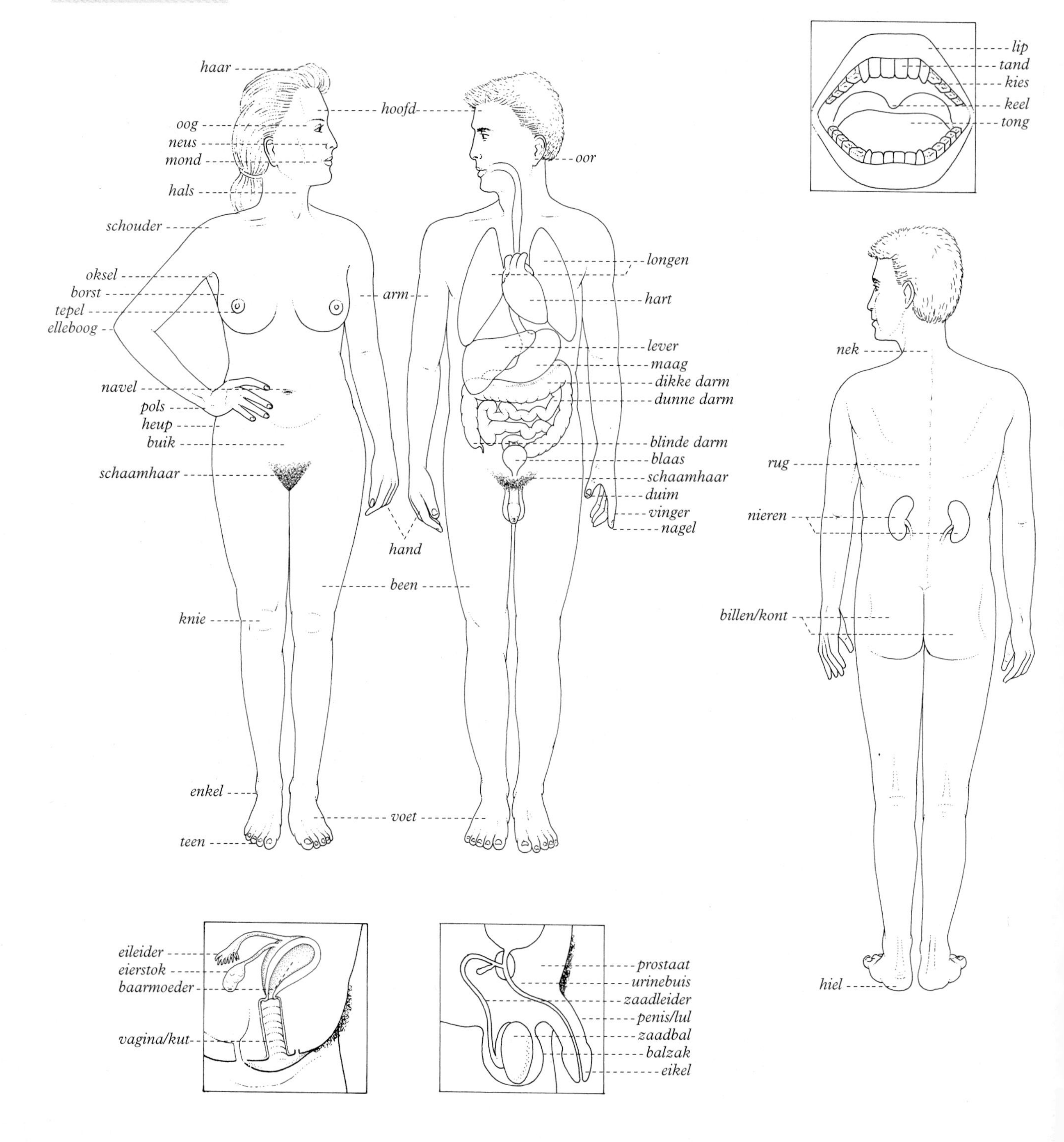

# Overzicht van functies

De nummers verwijzen naar de lessen.

# Overzicht van grammatica

De nummers verwijzen naar de lessen.

# Register

**Lijst van afkortingen**

aanw = aanwijzend
betr = betrekkelijk
bez = bezittelijk
bn = bijvoeglijk naamwoord
bw = bijwoord
lidw = lidwoord
mv = meervoud
onb = onbepaald
pers = persoonlijk
telw = telwoord
tw = tussenwerpsel
vn = voornaamwoord
vr = vragend
vw = voegwoord
vz = voorzetsel
wederk = wederkerend
ww = werkwoord

De woorden met een □ staan in P.de Kleijn en E.Nieuwborg, *Basiswoordenboek Nederlands*, Wolters-Noordhoff, Groningen, 1983. De cijfers achter de woorden verwijzen naar de les waarin ze voor het eerst voorkomen.

## H



## I



## J



## K

## N



## O



## P

# Bronvermelding


**Tekeningen**
Bas Blankevoort, Haarlem: 192
Armand Haye, Amsterdam: 185
Mariet Numan, Amsterdam: omslag, 2, 3, 5, 14, 15, 16, 18, 22, 29, 33, 44, 46, 51, 56, 57, 60, 61, 64, 68, 73, 77, 82, 91, 96, 97, 99, 106, 110, 120, 127, 132, 133, 141, 142, 152, 159, 162, 181

**Illustraties**
ABC Press, Amsterdam: 21 boven, 148, 178 onder
ANP Foto, Amsterdam: 1, 17, 20, 23 linksonder, 23 linksboven, 23 rechtsboven, 122, 145, 179
Nico Boink, Audiovisueel Centrum Vrije Universiteit, Amsterdam: 147
B&U International Picture Service, Amsterdam: 126
Hans Gerritsen, *'Psalmensymfonie'*, Nederlands Dans Theater, Den Haag: 41
Hollandse Hoogte, Amsterdam: 6 Hans van den Boogaard, 8 Piet den Blanken, 13 Jan Boeve, 23 rechtsonder Hannes Wallrafen, 26 Mark Kohn, 40 Bob Bronshoff, 48 Peter Hilz, 52 Rob Huibers, 53 Michiel Wijnbergh, 54 Harrie Timmermans, 59 Rob Huibers, 61 Hans van der Meer, 66 Mark Kohn, 69 Gerard Wessel, 74 Rob Huibers, 81 Gerlo Beernink, 83 Leo Erken, 86 Gerard Wessel, 92 Michiel Wijnbergh, 93 Piet den Blanken, 103 Laura Samson-Rous, 116 Roel Rozenburg, 118 Roel Rozenburg, 123 Peter Hilz, 125 Helge Hummelvoll, 129 Chris Pennarts, 130 Theo Bos, 134 Henk Braam, 138 links Gé Dubbelman, 138 rechts Guido van Dooremaalen, 153 Charlotte Bogaert, 160 Bert Houweling, 168 Klaas Koppe, 171 Wim Oskam, 172 Klaas Koppe, 173 Co de Kruijf, 178 midden Mikkel Ostergaard
Ed Hooper, Worthing, UK: 156
Kippa, Hilversum, *'Turks Fruit'*: 108
Cor de Kock, *'Huismussen eten appelgebak op terras'*, Haaften: 27
Harm Kuiper, Amsterdam: 9 (4x), 11, 21 onder, 35 (4x), 42, 55, 78, 85, 94, 95 (3x), 96, 97
Heleen van der Kwaak, Amnesty International, Amsterdam: 124
Lelystad Stadhuis, Algemene zaken, Voorlichting en Representatie: 90
Lorenzo, de Volkskrant, Zaandam: 119, 180
Ministerie van VROM, Den Haag: 43
Nederlandse Spoorwegen Design, Utrecht: 71, 176
Queensland Newspapers Pty. Ltd., Brisbane Queensland, Australië: 70
André Ruigrok, Landsmeer: 136
SOA Stichting, Utrecht: 157
Stichting Koninklijke Nederlands Geleidehonden Fonds, Amstelveen: 112
Sunshine, Almere: 32, 38, 105, 126, 144, 151, 164, 178 boven
Stefan Verwey, de Volkskrant, Beek-Ubbergen: 94
De Volkskrant, Weerkaart 28/11/'95: 134
Peter de Wit, *'Sigmund'*, de Volkskrant, Amsterdam: 107

**Teksten**
Ad Valvas, 8/12/'94, Amsterdam: 146, 147
ANWB Kampioen, januari 1995, Den Haag: 145
Jana Beranová, *'Als niemand luistert'*: 176
Uitgeverij Bert Bakker, Amsterdam, Willem Wilmink, *'Het lied van Mustafa'*: 146, en *'Op reis'*: 56, uit *'Verzamelde liedjes en gedichten'* en Jan Hanlo, *'Oote'*: 25, uit *'Domweg gelukkig in de Dapperstraat'*
Uitgeverij De Bezige Bij, Amsterdam, J.A. Deelder, *'Blues on tuesday'*: 182
Centrum voor Anderstaligen, Nieuwegein, *'Mijn droom en andere verhalen'*, 1984: 141
Van Dale Lexicografie/De Ruiter, Utrecht, *'Van Dale Basiswoordenboek van de Nederlandse taal'*, 1987: 21, 42, 78
Electronic Printing bv., Nieuwegein, *'Identiteitsdocumenten'*: 87
Filmnet, PMSvW/Y&R, Amsterdam: 115
Gezondheidsnieuws 10, 1994, Elburg: 114
Gouden Gids 1994, Leiden e.o.: 70
HET op zondag, *'Lingerie en Lachen'*, 18/9/'94, Leiden: 68
Hervormd Nederland 44, 5/11/'94, en brochure KMS *'Tussen mensen geen grenzen'* 1994, 's Hertogenbosch: 101
Uitgevers Mij. Holland bv, Haarlem, Hans Andreus, *'Geen zin'* uit 'De fontein in de buitenwijk': 91
Leids Nieuwsblad, 2/12/'94, Leiden: 171
Uitgeverij Leopold bv, Amsterdam, Jan 't Lam; *'In de spiegel'* en *'Het weer'* uit *'Ik heb wel eens een bui'*: 115
Uitgeverij Nijgh en van Ditmar, Amsterdam, Gerrit Komrij, *'tweeregelig gedicht'*, uit *'Ik ben geboren in Apeldoorn, Groot Parodieënboek'*, 1994: 25
Ministerie van WVC, Den Haag, *'Do you know, do you care?'*, oktober 1994: 81
Ministerie van Buitenlandse Zaken, Den Haag, uit *'Het Koninkrijk der Nederlanden, feiten en cijfers'*, 1990: 169
Polygram, Hilversum, *'Ik heb geen zin om op te staan'* van HET: 184
NS Folder Interrail nuovo 1994, Utrecht: 79
NRC Handelsblad, Rotterdam: 55, 70, 159
Red Bullet Productions door Robot Facilities/Robin Freeman, Hilversum, *'België'* van Het Goede Doel: 82
Sieneke de Rooij, Amsterdam: 159
Stichting NOT, Leerlingenmagazine Aids, Hilversum: 156
Stichting Poetry International folder, Rotterdam: 122
De Toonzetter, september 1994: 103
ViaVia, 8/12/'94, Amsterdam: 63
De Volkskrant, Amsterdam, Marc van den Broek en Piet van Seeters, *'In Bhutan is de jeugd nog niet door de tv verpest'*, 1/3/'95: 125
De Woonconsument, Amersfoort, oktober 1994: 144
Wolters-Noordhoff, Groningen, Joop Hart, *'Filter'*, *'Verkiezingen'*, 1986: 123
Wordt Vervolgd 10, Amnesty International, Amsterdam, *'Bhutan'*, oktober 1994: 124

De uitgever dankt alle rechthebbenden voor hun toestemming tot publikatie van de in deze uitgave opgenomen tekstfragmenten en illustraties. Diegenen die wij onverhoopt niet hebben kunnen bereiken, verzoeken wij vriendelijk contact met ons op te nemen.